KB163963

NEW 서울대 선정 인문고전 60선

29
슘페터 자본주의 사회주의 민주주의

NEW 서울대 선정 인문 고전 29

개정 1판 1쇄 발행 | 2019. 8. 21
개정 1판 2쇄 발행 | 2021. 9. 27

손기화 글 | 김강섭 그림 | 손영운 기획

발행처 김영사 | 발행인 고세규
등록번호 제 406-2003-036호 | 등록일자 1979. 5. 17.
주소 경기도 파주시 문발로 197 (우10881)
전화 마케팅부 031-955-3100 | 편집부 031-955-3113~20 | 팩스 031-955-3111

값은 표지에 있습니다.
ISBN 978-89-349-9454-1
ISBN 978-89-349-9425-1 (세트)

좋은 독자가 좋은 책을 만듭니다. 김영사는 독자 여러분의 의견에 항상 귀 기울이고 있습니다.
전자우편 book@gimmyoung.com | 홈페이지 www.gimmyoungjr.com

이 도서의 국립중앙도서관 출판예정도서목록(CIP)은 서지정보유통지원시스템 홈페이지(http://seoji.nl.go.kr)와
국가자료종합목록시스템(http://www.nl.go.kr/kolisnet)에서 이용하실 수 있습니다. (CIP제어번호 : CIP2018042950)

어린이제품 안전특별법에 의한 표시사항

제품명 도서 제조년월일 2021년 9월 27일 제조사명 김영사 주소 10881 경기도 파주시 문발로 197
전화번호 031-955-3100 제조국명 대한민국 ⚠주의 책 모서리에 찍히거나 책장에 베이지 않게 조심하세요.

미래의 글로벌 리더들이 꼭 읽어야 할 인문고전을 만화로 만나다

주니어김영사

〈NEW 서울대 선정 인문고전60〉이 국민 만화책이 되기를 바라며

제가 대여섯 살 때 동네 골목 어귀에 어린이들에게 만화책을 빌려주는 좌판 만화 대여소가 있었습니다. 땅바닥에 두터운 검정 비닐을 깔고 그 위에 아이들이 좋아하는 만화책을 늘어놓았는데, 1원을 내면 낡은 만화책 한 권을 빌릴 수 있었지요. 저는 그곳에서 만화책을 보면서 한글을 깨쳤고 책과의 인연을 맺었습니다.

초등학교 때는 용돈을 아껴서 책을 사서 읽었고, 중학교 때는 학교 도서 반장을 맡아 도서관에서 매일 밤 10시까지 있으면서 참 많은 책을 읽었습니다. 그 무렵 헤밍웨이의 《노인과 바다》를 손에 땀을 쥐며 읽으면서 인생에 대해 고민했고, 헤르만 헤세의 《수레바퀴 아래서》를 읽으며 사춘기의 심란한 마음을 달랬습니다. 김래성의 《청춘 극장》을 밤새워 읽는 바람에 다음 날 치르는 중간고사를 망치기도 했습니다.

당시 저의 꿈은 아주 큰 도서관을 운영하는 사람이 되어 온종일 책을 보면서 책을 쓰는 작가가 되는 것이었습니다. 나이가 들고 어느 정도 바라는 꿈을 이루었습니다. 큰 도서관은 아니지만 적당한 크기의 서점을 운영하고, 글을 쓰는 작가가 되었거든요. 저는 여기에 새로운 꿈을 하나 더 보탰습니다. 그것은 즐거운 마음과 힘찬 꿈을 가지게 해 주고, 나아가 자기 성찰을 도와주는 좋은 만화책을 만드는 일이었습니다. 이렇게 해서 만든 책이 바로 〈서울대 선정 인문고전〉입니다. 서울대학교 교수님들이 신입생과 청소년들이 꼭 읽어야 할 책으로 추천한 도서들 중에서 따로 60권을 골라 만화로 만든 것입니다. 인류 지성사의 금자탑이라고 할 수 있는 고전을 보기 편하고 이해하기 쉽도록 만화책으로 만드는 일은 쉬운 일은 아니었습니다. 약 4년 동안에 수십 명의 학교 선생님들과 전공 학자들이 원서의 내용을 정확하게 전달할 수 있도록 밑글을 쓰고, 수십 명의 만화가들이 고민에 고민을 거듭하면서 만화를 그려 60권의 책을 만들었습니다.

〈서울대 선정 인문고전〉이 완간되었을 무렵에 우리나라에 인문학 읽기 열풍이 불기 시작했습니다. 〈서울대 선정 인문고전〉은 인문학 열풍을 널리 퍼뜨리는 데 한몫을 하면서 독자들의 뜨거운 사랑과 관심을 받았습니다. 덕분에 지금까지 수백만 권이 팔리는 베스트셀러가 되었습니다. 그 사랑에 조금이나마 보답을 하기 위해 《칸트의 실천이성 비판》, 《미셸 푸코의 지식의 고고학》, 《이이의 성학집요》 등 우리가 꼭 읽어야 할 동서양의 고전 10권을 추가하여 만화로 만들었습니다.

〈서울대 선정 인문고전〉은 어린이와 청소년이 부모님과 함께 봐도 좋을 만화책입니다. 국민 배우, 국민 가수가 있듯이 〈서울대 선정 인문고전〉이 '국민 만화책'이 되길 큰마음으로 바랍니다.

손영운

| 글작가 머리말 |

세계화 경제 시대의 진정한 길잡이

슘페터의 《자본주의, 사회주의, 민주주의》는 자본주의의 본질과 미래에 대한 자신의 입장을 저술한 책입니다. 20세기 들어 세계는 대혼란 속으로 접어들게 됩니다. 제1차 세계 대전과 경제 대공황, 히틀러 · 무솔리니를 필두로 한 파시즘의 등장, 제2차 세계 대전의 발발, 그리고 공산주의 국가의 출현 등 이전 세기에서는 볼 수 없었던 급격한 변화가 연속해서 발생하게 되죠. 이런 상황에서 사람들은 '과연 자본주의가 지속 가능한 대안이 될 수 있을까?' '공산 정권하에서 실현되는 사회주의 정책이 성공할 수 있을까?' '민주주의는 지속 가능한 정치 제도인가?' 같은 근본적인 질문을 던지게 되었습니다. 이 책은 바로 이런 의문들에 대한 예지적 대답을 해 주는 책입니다.

슘페터는 자본주의의 본질을 '창조적 파괴' 에서 찾았습니다. 그는 자본주의의 엔진을 작동시키는 것은 새로운 생산 방법, 새로운 기술 혁신, 새로운 수송 방법의 도입, 새로운 시장의 개척 등과 같은 창조적 파괴라고 보았습니다. 이런 과정을 통하여 자본주의 사회는 과거 모든 세대의 생산량을 합친 것보다 더 거대한 생산력을 만들어 내는 눈부신 성공을 거두었다고 주장했지요.

그러나 슘페터는 자본주의의 미래에 대해서는 매우 비관적이어서, 자본주의의 눈부신 성공이 역설적으로 자본주의의 붕괴를 가져온다고 보았습니다. 인간의 경제적 욕망

이 충분히 채워지게 되면 더 이상 노력할 이유가 사라지듯이, 자본주의의 성공이 자본주의를 유지해 오던 기업가들의 창조적 파괴를 사라지게 하고, 이것이 자본가 계급의 몰락을 가져와서 결국 사회주의로 이행하게 된다는 것이었지요. 덧붙여, 그는 사회주의가 잘 작동하려면 자본주의가 성숙되어야 한다고 생각했습니다. 성숙하지 않은 사회에서는 폭력과 같은 급진적인 방법을 통해서만 사회주의가 가능하므로, 그 사회는 결국 독재 정치로 흐를 수밖에 없다고 보았던 것입니다. 그는 그 대표적인 예로 러시아의 볼셰비키 혁명을 들었습니다.

자본주의를 기업가의 기술 혁신에 의한 과정으로 파악한 슘페터의 시각은 21세기 세계화의 시대에 가장 주목을 받고 있습니다. 무한 경쟁 시대를 살아가는 우리에게는, 혁신과 창조적 파괴에 기초한 기업가 정신이 그 어느 때보다도 절실하게 필요하기 때문입니다. 18세기에 이미 21세기가 맞닥뜨릴 경제, 사회, 정치 상황을 내다본 그의 혜안은 많은 경제학자들로 하여금 케인스가 아닌 슘페터야말로 세계화 경제 시대의 진정한 길잡이라는 칭송을 아끼지 않게 만들었습니다. 여러 면에서 볼 때, 《자본주의, 사회주의, 민주주의》는 도서관에 꽂혀 있는 경제학 참고서가 아니라 지금 우리의 이정표를 제시하는 교과서라고 할 수 있습니다.

손기화

진정 행복한 사회를 위한 조건들

여러분은 '슘페터'가 누구인지 아시나요? 혹시 모르신다면 이 책을 통해 앞으로 알아 가면 되고, 아시는 분들은 좀 더 자세히 알 수 있는 기회가 될 것입니다. 이 책 내용이 다소 어렵고 난해한 부분이 많은 게 사실이지만, 여러분이 조금만 관심을 기울이면, 금방 이해하게 될 것입니다.

여러분이 생각하는 완벽한 사회는 어떤 곳인가요? 우리가 사는 사회는 많은 사람들이 서로 어우러져 살아갑니다. 많은 사람들이 살다보면 여러 가지 문제가 발생하는 게 당연하겠지요. 간혹 사회 문제에 불만을 품고 무력으로 제압하려는 독재자들이 생겨나는 경우도 있습니다. 그중 우리가 잘 아는 대표적인 인물로 히틀러가 있고, 아직까지 독재정권을 유지하고 있는 북한의 김정일도 있습니다. 독재정권은 한 사람의 생각으로 사회가 운영되기 때문에 사람들의 불만이 커지기 마련이고, 그 결과 정권교체가 일어나게 됩니다.

지금 우리가 사는 사회는 '국가의 주권이 국민에게 있고 국민을 위하여 정치를 행하는 제도인 민주주의'와 '이윤 추구를 목적으로 하는 자본이 지배하는 경제체제인 자본주의'로 이루어졌습니다. 민주주의와 자본주의를 통해 우리는 경제 발전을 이루었지만, 무한경쟁과 빈부 격차 같은 여러 가지 문제가 생겨나면서 모두를 행복하게 만드는

제도가 아니라는 것을 알게 되었습니다. 그럼 어떤 사회가 좋은 사회고 어떤 사회가 나쁜 사회일까요? 이 책을 통해 민주주의, 자본주의, 사회주의 중 과연 어떤 제도가 좋은 사회를 만들어 갈지 같이 고민했으면 합니다.

저 역시 《자본주의, 사회주의, 민주주의》를 그리며 '슘페터' 가 행복한 사회를 위해 얼마나 많은 노력을 한 사람인지 알게 되었고, 그를 통하여 자본주의, 사회주의, 민주주의 중 어느 한 가지만으론 행복한 사회가 만들어지지 않는다는 것도 알았습니다. 이런 내 느낌과 지식이 이 책을 읽는 여러분께도 보다 쉽게 전해졌으면 하는 바람입니다.

마지막으로…… 이 책이 나올 수 있도록 도와주신 많은 분들과 컬러 작업을 도와준 김석영 님께 감사드립니다.

김강섭

| 차 례 |

사회 지배
계급

조지프 슘페터는 오스트리아
태생의 경제학자란다.

제1차 세계 대전
(1914년 7월~1918년 11월)!

러시아 혁명(1917년 11월)!

경제 대공황(1929년 10월)!

제2차 세계 대전 (1939년 9월~1945년 8월)!
쿠웅
쾅
쾅
쾅
쾅
으악
세상이 완전
난리가 났어요~.

19세기 말에서 20세기 초, 세계는
대혼란의 시기였어.
펑
쾅
펑
쿠웅

자본주의가 과연 생존할 수 있을까?

사회주의의 실험이 성공할까?
펑
사회주의
펑
펑

이 지겨운 전쟁을
어떻게 벗어날 수
있을까?
부우우우웅~
윽!
쾅

서구 중심의 세계 역사는 미래에 대해 무엇 하나 확실한 답을 줄 수 없는 시기였지.
여기가 어디지?
더듬
더듬
미래
그렇구나….

케인스는 쇠락해 가는 조국 영국의 현실적 문제를 밝히고 처방을 내리면서 정치가들에게 좋은 정책적 무기를 제시했어.

처방전입니다.

감사!

반면, 슘페터는 현실과는 거리를 두면서 냉정하게 대상을 관찰했지.

조심, 조심.

사회 경제

케인스 씨

여기요

팟

슘페터가 평생을 고민한 문제들은 '자본주의가 지속 가능한 질서인가?', '자본주의의 미래는 어떻게 될 것인가?', '사회주의의 미래는 어떻게 될 것인가?' 같은 문제들이었어.

1942년 출간된 《자본주의, 사회주의, 민주주의》는 슘페터가 40년간 걸쳐 고민하며 관찰했던 문제들에 대한 노력의 소산이라고 볼 수가 있어.

자본주의,
사회주의,
민주주의
슘페터
짜~잔

처음 농사를 지을 때는 사람들이 직접 땅을 갈고, 비료를 뿌리고, 경작을 하는 등 자기 손으로 노동을 해야만 모든 것을 할 수 있었어. 그런데 지금은 어때? 거의 모든 것을 기계가 하고 있잖아.

헉! 벌써 끝내다니!
뿌앙
덜덜덜

사람들이 처음 철기를 만들 때를 한번 생각해 봐. 나무 땔감을 이용한 가마에서 철광석을 녹여 철을 만들었지만 지금은 기계화된 거대한 용광로에서 철을 만들어 내잖아.
촤아
우아

교통수단은 어때? 처음에는 역마차 정도가 가장 빠른 교통수단이었어.
그러나 지금은 철도, 비행기 같은 수송 수단이 있잖아.
빠르지?
네~ 엄청 빨라요.
빠앙
쿠오오오...

이 모든 과정을 창조적 파괴라고 할 수 있는 거야. 슘페터는 이런 기술 혁신의 과정을 통해 자본주의가 역동적인 발전을 거듭한다고 보았어.
기술
혁신

과연 자본주의는 지속적으로 발전할 수 있을까?
지속될 수 없어.
자본주의
찌익

슘페터는 경제적 실패 때문에 자본주의가 실패한다고 보지는 않았어.
그럼요?

오히려 자본주의 체제의 성공 자체가 자본주의를 보호, 유지해 온 사회 제도를 붕괴시키고, 그로 인해 자본주의 체제를 지속시킬 수 없다고 보았지.
자본주의 체제
사회적 제도

자 봐, 창조적 혁신을 추구하는
기업가는 성공을 바탕으로 자기 기업을
점차 거대한 기업으로 성장하게
만들 수 있어.

처음에 두 명으로 시작한 회사가 사장의 창조적 능력에 힘입어 2,000명이 근무하는 회사가 되었다고 가정해 보자.

와
와글
욱
와글
밀지마

숨페터는 또한 자본가 계급의 보호 계층이 귀족, 지주, 중소기업가 그리고 상인들이라고 보았는데,

자본주의의 발전이 자본가 계급을 지지하고 보호하던 계층을 약화시킴으로써 자본주의의 작동이 붕괴된다고 보았어.

우선 귀족들의 경우를 보면, 귀족 계급은 자본주의가 발전함에 따라 자신들에게 있었던 세금 면제나 정치적인 특권 같은 것들이 사라질 수밖에 없어.

이런 귀족 계급의 약화는 결국 자본가 계급의 약화를 가져오게 돼.

마찬가지로 개인 기업가들을 상징하는 중소기업들은 자본주의의 발달로 대기업에 흡수, 통합되면서 자신들의 역할이 사라지고 마는 거야.

상인들 역시 근대적인 유통 과정의 출현으로 몰락하게 된다고 숨페터는 말했어.

슘페터는 또한 자본주의의 붕괴에 지식인들이 차지하는 역할을 강조하고 있어.

자본주의 사회의 발전은 교육 제도의 확대를 가져왔어.

고등 교육 기관이 지식인들을 대량 생산하게 됨에 따라, 지식인들이 실업자가 되거나 적성에 맞는 직업을 찾지 못하는 상황이 많이 발생하게 됐지.

이런 상태에서 지식인들은 사회를 비판하게 되고, 자본주의에 적대적인 세력이 되어 간다고 슘페터는 보았어.

결국 자본주의 체제는 성공적인 업적에도 불구하고 몰락의 길을 걷다가

결국엔 사회주의에 자리를 내놓게 된다는 거야.

그럼 슘페터가 결국 마르크스주의자가 되었단 건가?
오잉
펑
슘페터

그건 아니야. 슘페터가 주장하는 사회주의는 마르크스가 주장하는 사회주의와는 차이를 보이고 있어.
사회주의
사회주의

마르크스가 주장하는 사회주의는 자본주의의 사회로부터 소외를 받은 노동자 계급이 주체가 되는 계급 혁명을 일으켜
와
와아
와
자본주의 사회를 무너뜨리고, 대신 공산주의가 실현되는 사회주의 사회를 건설하는 것을 말해.
오~

이런 사회에서는 개인의 소유권이나 시장 경제 같은 것은 존재하지 않아.
북한 처럼요?

그래. 마치 북한처럼 말이야.
히~

사람들이 필요로 하는 모든 물건의 생산과 분배를 중앙 당국이 통제하는 계획 경제 상태가 되고 말지.
중앙 당국
생산
분배

반면에 슘페터의 사회주의는 창조적 파괴를 일으키는 혁신적 기업가 집단이 소멸하면서 자본주의를 보호했던 사회 구조가 약화되고,

이에 따라 자본주의의 성공이 만들어 낸 지식인들이 자본주의에 대한 비판자로 돌아서면서 사회주의로 이행하는 과정을 말해.

이럴 바엔 사회주의가 낫겠군!

누가 아니래.

슘페터가 생각하는 사회주의는 마르크스의 사회주의처럼 중앙 당국이 절대 권력을 장악하는 것이 아니야.

그리고 개인의 경제 활동에 대한 자유도 남겨진 사회주의지.

그래. 경제 활동에 대한 자유가 있다는 점에서는 같지만 슘페터의 사회주의는 자본주의와는 차이점이 있어.

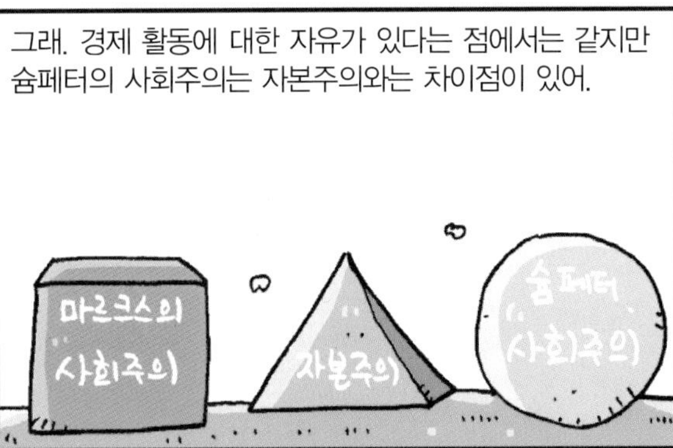

많은 사람들은 시장 경제의 메커니즘이 없는 사회주의는 합리적 경제 계산이 불가능하므로 제대로 작동할 수가 없다고 생각해.

콰아아

예를 들어 청바지를 만드는 회사가 청바지를 생산하여 시장에 내놓았는데, 청바지가 잘 팔리면 청바지의 가격이 올라가게 되겠지.

이것은 사람들로 하여금 청바지를 더 많이 생산하게 만들어.

그러나 너무 많은 청바지가 시장에 공급되면 청바지 가격이 떨어지게 되고

결국 청바지 생산으로 이익을 보지 못하는 회사들은 더 이상 생산을 하지 않게 될 거야.

가격의 자동 조절 기능이 시장을 합리적으로 작동하게 하는 거지.

하지만 사회주의에서는 이러한 가격 조정 기능이 없어.

결국 많은 학자들은 이런 가격의 조정 기능이 없는 사회주의 사회는 합리적으로 작동할 수 없다고 본 거야.

어느 경제 체제에서도 가격은 불가결한 존재라고 할 수 있지.

또한 슘페터는 사회주의 체제는 경제 효율 면에서도 자본주의 체제를 능가한다고 보았어.

히~
경제 효율

우선 자본가들이 주도하는 자본주의 경제는 모든 것이 불확실한 상태에서 출발할 수밖에 없는 반면에, 중앙 당국이 주도하는 사회주의는 이런 불확실성과 낭비를 절감할 수 있다고 보았지.

자본주의 사회에서 복사기를 만드는 회사는 자기 회사의 제품이 얼마나 많이 팔릴지 미리 알 수 없어.

그래서 때로는 너무 많이 생산하기도 하고 때로는 너무 적게 생산하기도 하지.

그리고 올해 잘 팔렸다고 내년에도 같은 수만큼 팔리리라고 기대하기도 어려울 거야.

반면에 사회주의 사회에서는 복사기를 생산하기 전에 중앙 당국이 사회에 필요한 복사기의 수를 파악한 후에 생산을 하게 돼.

복사기 필요하신 분?

중앙

결국 슘페터는 사회주의하에서는 중앙 당국의 면밀한 계산으로 불필요한 낭비를 줄일 수 있다고 보았던 거야.

둘째, 슘페터는 사회주의 경제가 자본주의 경제보다 문제를 개선하는 데 효율적이라고 보았어.
덤벼라!
사회주의
크앙
문제점

자본주의 사회에서 어떤 문제를 개선하는 것은 중소기업 규모의 경영자들에 의해 이루어지게 되어 있어.
정부에서 기름을 가스로 바꾸라는데요.
뭐?
사장

자본주의 사회에서는 정부가 사소한 문제까지 간섭할 수가 없잖아.
우리 회사에 이득이 안 되잖아 이득이….
네.
하지 마.
사장

따라서 어떤 개선책이 보급되는 데는 일정 시간이 걸리게 돼.
정부에서 규제한다는데요.
맘대로 하라고 해. 버티면 돼!

반면에 사회주의 경제에서는 모든 개선책이 중앙 당국의 법령으로 이루어져.
중앙
흠

이대로 이행하시오!
넵! 당장 하겠습니다.
사장

중앙 당국은 가장 유능한 인재들을 이런 일에 배치함으로써 더 효율적으로 개선을 꾀할 수 있게 되지.
딱
허걱

셋째, 슘페터는 자본주의 사회의 특징으로 기업 중심의 사적 영역과 정부 중심의 공적인 영역이 분할된 것을 꼽았는데,

정부
기업

그는 이런 사적 영역과 공적 영역의 마찰이 자본주의 사회의 비효율을 가져온다고 주장했지.

사적 영역과 공적 영역의 마찰은 대개 세금 문제에서 발생해.

정부 기구는 가능한 한 세금을 많이 걷으려고 많은 사람을 고용하여 거대한 조직을 만들고

기업 역시 이에 대응하여 세금을 적게 내려고 노력하지.

반면 사회주의 사회는 국가가 모든 수입원을 통제하고 있어.

결국 국가와 정부가 모든 재산을 통제하는 상태에서는 자본주의 사회에서 세금을 두고 나타나는 부작용과 비효율은 사회주의 사회에서는 존재하지 않게 된다고 슘페터는 본 거야.

그러나 한 가지
명심할 게 있어!

슘페터가 생각하는 사회주의로의 이행은 경제 호황과 불황 등을 통해 자본주의가 발전하고
경제호황
슈우우웅

이런 발전이 풍요를 가져온 바탕 위에서 일어난 일이라는 것을 말이야.
풍년이네.
사회주의
자본주의

그래서 슘페터는 자본주의에서 사회주의로 이행하는 과정에서 '성숙한 사회'와 '미성숙한 사회'가 큰 차이를 보인다고 보았어.
가서 젖이나
더 먹고 와.
아님
이거라도…
우유
미성숙사회
성숙
칫

가령 영국 같은 성숙한 사회에서 사회주의로의 이행은 어떨까?

도대체 성숙한
사회는 어떤
사회인가요?
성숙한 사회는 자본주의가
발전하여 사회가
경제적이나 정신적으로
풍요로운 것을 의미해.

즉, 노동자들은 잘 조직되어 책임감이 있고, 관료들은 문화 · 도덕적 수준이 높으며, 정치인들은 매우 성실한 그런 사회야.
노동자
기업인
관료
정치인

이런 사회는 무슨 문제가 발생해도 과반수 이상 사람들의 협력을 기대할 수 있는 상태라고 볼 수가 있지.

따라서 사회적 변화도 헌법 개정 같은 평화적인 방법으로 이루어지게 돼.

국회

러시아는 소규모 기업의 비중이 상당히 크고 사회주의에 대한 혐오감이 강하게 깔려 있어서, 사회주의로 이행하려면 의회를 통한 헌법 개정 같은 평화적인 방법으로는 불가능했어. 따라서 혁명 같은 급진적 방법을 선택할 수밖에 없었지.

볼셰비키 혁명은
어떤 거죠?
"와아"
"와"

볼셰비키 혁명은 러시아에서 일어난
사회주의 혁명이야.
1917년 11월 7일

산업 노동자가 고작 인구의 5퍼센트에 불과했던 러시아는
당시 공업화가 되지도 않았고 자본주의의 성공을 경험하지도
못한 상태였어. 그런 러시아가 사회주의를 이루는 방법은
혁명밖에 없었어.
산업 노동자 5% 사는 곳
아직
멀었나?
우리도 저 안에
들고 싶다.
저곳까지
언제 가지.
뭔가
바뀌어야 돼.

결국 농민과 노동자들, 소수의 지식인들이 연합하여 당시의 지배층이었던
황실, 대지주, 교회의 재산을 빼앗아 대중들에게 나누어 주었지.
볼셰비키 혁명은 한마디로 인민 대중의 지배를 실현한 혁명이었어.
레닌.
블라디미르 일리치 울리야노프
(1870~1924)
와
와아
와아

그러나 볼셰비키 혁명의 고민은 농업이 중심인 러시아 사회를 공업화시키는 데서 불거졌어.
그것이 뭐다냐?
척

중앙 정부가 공업화를 주도하는 과정에서 국민들을 강제로 동원하게 되고,
이제 공장에서 일해!
엥?
정부

이것이 '인간에 의한 인간의 착취'를 가져오게 되었거든.
정부
일하기 싫어.

옛날에 왕이 지배하던 시대와 비슷해진 건가요?
그렇지.

볼셰비키 혁명은 러시아 전제 군주들을 계승한 것으로 파악할 때 올바로 이해할 수가 있어.
왕이다.

결국 슘페터는 자본주의로 이행하는 두 개의 과도기에 관해 설명하면서 영국 같은 성숙한 사회만이 사회주의로 이행하는 데 성공할 수 있다고 평가하고 있어.
자본주의
성숙한 사회
사회주의
촤아악
웃샤
나도 당길게요.

슘페터의 주장에 대한 반론도 만만치 않아.
뭐라고?
반… 반론이 있다고?

우선 자본주의의 붕괴에 대한 슘페터의 견해를 비판해 볼까?
어서 말해 줘! 궁금하다고!

슘페터는 자본주의의 발달로 기업이 거대 기업으로 흡수 통합되므로, 기업가의 기능을 관료적 거대 기업이 담당함으로써 자본주의가 점차 사회주의로 이행한다고 주장하고 있어.

그렇지! 미국을 대표하는 기업인 GE나 우리나라를 대표하는 삼성전자와 같은 거대 기업들도 날마다 혁신을 부르짖고, 실제로 혁신이 일어나잖아.

SAMSUNG

개인 기업가의 역할이 줄어든 것은 사실이지만 자본가 전체의 세력은 더욱 확대되어 가고 있는 것이 현실이야.

세력을 키우자.

개인은 살 수 없어!

슘페터는 또한 자본주의의 발전이 자본가 보호 계층인 귀족, 지주, 중소기업가 등을 소멸시켜 자본가 계급의 약화를 가져온다고 주장했는데,

이에 대해서도 물론 자본주의가 발전하면 자본가 계층을 지지하던 귀족이나 지주, 중소기업가들의 후퇴는 불가피하겠지만

날 버리지 마!

자본주의

자본가 계급

귀족

지주

중소기업가

후퇴

대기업의 확장으로 경영자나 기술자 계층은 크게 확대되고 있으므로, 이들이 자본주의 체제를 약화시키기보다는 강화시키는 데 기여했다고 볼 수 있을 거야.

R₂=OS

또 슘페터는 사회주의에 대해 독특한 정의를 내리고 있어. 슘페터는 '혁신적인 기업가 집단이 소멸하면서 전문 경영인에 의해 기업 조직이 관리되는 과정'을

자본주의에서 사회주의로의 이행이라고 보았거든.

즉, 슘페터는 '사회주의란, 혁신적 기업가 집단이 조직과 국가에 의해 통제받는 것'으로 보았던 거야.

그러면 슘페터가 상상한 세계는 현대에는 아무 가치가 없을까?

슘페터가 상상한 사회주의 체제는 제2차 세계 대전 이후 서유럽 나라 대부분에서 등장했던 사회 민주주의 체제라고 볼 수 있어.

제2차 세계 대전 후, 서유럽의 자본주의를 보면 첫째로 중앙 정부가 경제에 개입하는 것이 많아지고, 경제에서 사적인 부문보다 공적인 분야의 비중이 커졌다고 볼 수 있어.

둘째로 거대 기업의 출현으로 조직과 제도가 개인 기업가의 창조적 활동을 대신하여 움직이는 사회가 되어 가고 있지.

그러므로 슘페터가 의미하는 사회주의는 실제로 존재했던 소련이나 동구권의 사회주의와는 구분이 되는 것이라고 볼 수 있어.

슘페터는 구소련의 스탈린 체제는 사회주의 체제가 아니라 군사 독재 체제이고 동시에 대중을 착취하는 것이라고 보았어.

대신에 제2차 세계 대전의 결과로 유럽은 사회 민주주의 정당들이 집권하게 되는데,

1장 '마르크스주의 학설'은 슘페터의 마르크스주의 비판을 담고 있어.

슘페터는 마르크스주의가 종교성을 가진 학설이라고 보면서 마르크스주의 이론에 대해 비판을 하고 있지.

슘페터는 마르크스주의의 주장으로는 현대 자본주의 붕괴의 이유를 설명할 수 없다면서

자신의 자본주의 붕괴 이론을 전개해.

동시에 슘페터는 마르크스 이론이 옳았던 부분에 대해서도 평가하고 있어.

2장 '자본주의는 생존할 수 있을까?' 는 자본주의 경제 체제를 설명한 부분이야.

자본주의

숨페터에 따르면 자본주의 경제 발전의 추진력은 내부로부터 끊임없이 경제 과정을 혁명화해.

그리하여 낡은 것을 파괴하고 새로운 것을 창조하는 '창조적 파괴' 의 과정을 거치지.

따라서 슘페터는 자본주의의 눈부신 발전이 자본주의의 붕괴를 가져온다고 주장하고 있어.

3장 '사회주의는 작동할 수 있을까?' 에서 슘페터는 자본주의의 대안으로 사회주의가 가능할 것인가? 하는 질문을 던져.

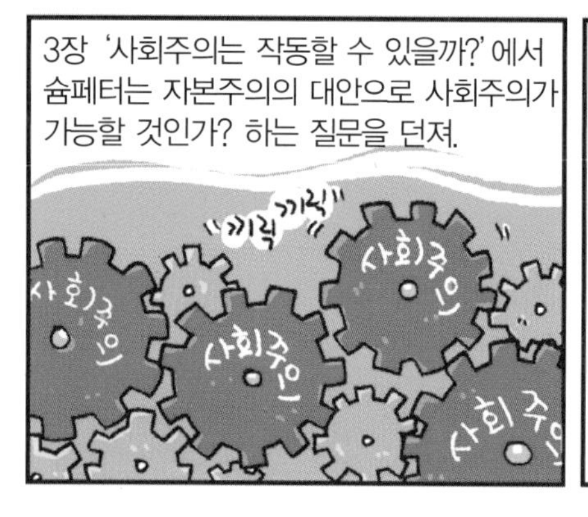

슘페터는 가능하다는 결론을 내리고 있어.

슘페터가 주장하는 사회주의는 상품을 생산하는 수단과 방법이 개인 기업에 의해 결정되지 않아.

얼마나 생산할까?

개인 기업

그런 결정을 내리는 것은 바로 중앙 당국이지.

이런 사회주의 경제에서는 자본주의
사회가 가지는 불확실성이 제거돼.
사회주의
자본주의
휴지통

따라서 사회주의가 자본주의보다 더 효율적으로 작동될 수 있지.
같이 가요~
슈우우웅
자본주의
털털럭
사회주의

그러나 슘페터는 자본주의에서 사회주의로의 이행은 무엇보다 자본주의 경제 발전이 성숙한 단계에 접어든 사회에서만이 평화적으로 이행될 뿐, 그렇지 않은 경우에는 폭력적 방법에 의한 사회 변혁이 일어난다고 주장해.
와
와
와
와아

그는 평화적 이행의 대표적인 나라로 영국을 들고,

폭력적 방법에 의한 나라로 소련을 들고 있어.

4장 '사회주의와 민주주의'는 자본주의와 민주주의 그리고 사회주의와 민주주의가 양립할 수 있는가에 대한 설명을 담고 있어.

이 장에서 슘페터는 고전적 민주주의 이론에 대한 자신의 민주주의 이론으로 '지도력 경쟁을 위한 민주주의' 이론을 제시해.

또한 슘페터는 자본주의적 민주주의의 대안으로 사회 민주주의를 제시하지만, 이 이론이 도그마가 되는 것을 동시에 경계하고 있어.

'도그마'란 독단적인 신념이나 학설을 말하는 것으로, 쉽게 말하자면 사회주의가 민주주의의 절대적인 대안은 아니라는 이야기야.

5장 '사회주의 정당의 역사적 개관'은 1875년부터 제2차 세계 대전까지 사회주의 정당들이 어떻게 발전하고 쇠퇴했는지를 설명하고 있어.

슘페터는 토마스 모어와 로버트 오언의 시대에서
카를 마르크스까지 사회주의 이론을 종적으로 개관하고,

더 나아가 슘페터는 혁신적인 기업은 독점을 누리게 되는데, 이는 매우 자연스러운 현상이라고 주장했어.

이런 슘페터에 대해 미국의 유명한 경제 잡지 〈포브스〉는 슘페터 탄생 100주년을 맞이하는 1983년에 '케인스가 아닌 슘페터야말로 세계화 경제 시대의 진정한 길잡이'라는 칭송을 아끼지 않았지.

슘페터는 자본주의가 스스로 붕괴하고 사회주의가 도래할 것이라고 예측했어.

슘페터의 자본주의 붕괴론과 사회주의 등장은 부분적으로 제2차 세계 대전 이후 유럽 사회에서 나타나는 현상이었다고 할 수 있을 거야.

경제에 대한 중앙 정부의 개입이 늘어나고 사적 부분보다 공적 부분의 비중이 늘어난 것도 사실이었거든.

배고파.

그러나 세계화의 급속한 진행은 슘페터의 자본주의 붕괴에 대한 예측이 빗나가고 있음을 보여 주고 있는 것도 사실이야.

결국 슘페터는 자본주의 사회의 원동력을 꿰뚫어 본 혜안*으로 가장 위대한 경제학자의 반열에 올라섰고,

*혜안 – 안목과 식견.

21세기 초인 지금 세계화 시대에 와서야 자신과 동시대에 가장 큰 영광을 누리고 살았던 케인스를 능가하는 평가를 받게 되었다고 할 수 있지.

2장에선 슘페터가 어떤 사람인가에 대해 자세히 알아볼 거야.

경제학의 혁명가 케인스

▲ 케인스는 20세기 경제의 사상적 스승이다.

존 메이너드 케인스(John Maynard Keynes)는 1883년 6월 영국의 케임브리지에서 태어났습니다. 케임브리지 대학교의 교수였던 아버지와 사회 운동가였던 어머니 사이에서 태어난 케인스는 어릴 적부터 수학, 역사, 고전 등 다방면에서 비상한 재능을 보였습니다. 특히 대학교 때 수학에서 두각을 나타냈습니다. 그러나 당대 최고 경제학자이던 마셜(Alfred Marshall) 교수의 요청으로 경제학을 공부하게 되었고 졸업 후에는 케임브리지 대학교에서 경제학 강의를 하기도 했습니다. 그 후 케인스는 인도 재정 황실 위원으로 임명되어 공직에 복무하게 되지요.

제1차 세계 대전 중에 케인스는 영국 재무성의 자문관으로 봉직하게 되고, 1919년에는 영국 재무성 대표로 제1차 세계 대전을 종결짓는 파리강화회의에 참석하게 됩니다. 이 베르사유 평화조약에 참석하면서 케인스는 《평화조약의 경제적 결과(The Economic Consequence of the Peace)》라는 책을 발간하게 됩니다. 이 책에서 케인스는 베르사유 조약에서 결정된 독일의 전쟁 배상금은 너무 가혹한 것이고 결국은 독일 경제를 파멸시킬 뿐 아니라 유럽에 또 다른 갈등을 일으킬 것이라고 경고했습니다. 이런 케인스의 경고는 현실이 되어 1923년 초인플레이션을 겪은 독일 경제는 붕괴하게 되었고 이것은 히틀러의 등장과 제2차 세계 대전으로 연결되었습니다.

케인스의 탁월성은 1936년 발간된 《고용 · 이자 및 화폐에 관한 일반 이론(The General Theory of Employment, Interest and Money)》에서 잘 드러납니다. 이 책은 기존의 고전 경제학 이론을 뒤집는 새로운 이론이었습니다. 고전파 경제 이론은 경제가 스스로 균형을 잡아가고 완전 고용을 이루기 때문에 정부의 간섭은 불필요할 뿐 아니라 경제와 사회에 혼란을 가져온다고 주장하는 것이었지요. 이에 반해 케인스의 이론은 한 사회에서 총 수입은 소비와 투자의 합계라고 정의하고, 경제가 실업 상태에 있을 때는 지출을 증가시킴으로써 고용과 사회 전체의 수입이 증가할 수 있다고 보았습니다. 즉 높은 실업 상태에는 정부가 공공 일자리를 늘리는 사업을 벌여서 수요를 늘려야 경제가 성장하고 균형을 잡아가게 된다는 것입니다. 이런 케인스의 이론을 1930년대 이후 미국과 유럽의 주요 국가들이 국가 경제 정책으로 채택하게 되면서 케인스의 이론은 주류 경제학으로 확실히 뿌리를 내리게 되었습니다.

▲ 국제 통화 기금 (IMF) 전경

1942년 이후부터 케인스는 영국 정부를 대표하여 제2차 세계 대전 이후 세계 질서를 확립하는 데 적극 개입하게 됩니다. 일례로 제2차 세계 대전 이후 국제 금융 질서를 확립한 브레턴우즈 협정에 참여하게 되면서 세계은행과 국제 통화 기금(IMF)을 설립하는 데 기여했습니다. 그 뒤 1946년 4월 심장마비로 사망하기까지, 케인스는 정열적으로 공공에 도움이 되는 국제 통화 체제의 확립을 고민하며 살았답니다.

제2장 조지프 슘페터는 어떤 사람일까?

슘페터는 1883년 2월 현재 체코 공화국령이 되어 있는 모라비아의 트리쉬에서 태어났어.
앤 머리숱이 왜 이렇게 없는 거야….
트리쉬

아버지는 부유한 직물 제조업자였고,
내가 마법의 양탄자를 만들었다.
믿거나 말거나
부웅
와

어머니 요한나 마르구에리테는 의사의 딸이었어.
아빠, 메리가 변비인가 봐요.
난 동물은 취급 안 하잖니….

슘페터는 너처럼 외아들이었어.
와~ 진짜요?

슘페터의 이름은 아버지 요세프(Joseph)와 할아버지 알로이스(Alois)의 이름을 따서 요세프 알로이스라고 붙여졌어.

어린 시절의 애칭은 조시(Jozsi)였대.
조시야, 밥 먹고 놀아라~.
조금 있다요~.

불행하게도 슘페터의 아버지는 슘페터가 네 살 되던 해에 세상을 떠나게 돼.
아빠 어디 갔어?
천국에 출장가셨어.

당시 26세였던 슘페터의 어머니 요한나는 오스트리아·헝가리군의 육군 중장이었던 지키스문트 폰 켈러와 1893년 재혼을 하게 되었지.
안 돼.
우리 아빠 아니잖아.
와
와아

그러나 어머니의 재혼도 1906년 7월 이혼으로 끝나게 되었어.
엉엉
미안. 우린 너무 맞지 않소!

슘페터 어머니의 일생도 순탄치는 않았지.
아….
인생

그러나 폰 켈러는 슘페터의 교육에 상당한 영향을 미치게 돼.
아저씨! 거기서 뭐 해?
까꿍!

폰 켈러는 빈에 주재하는 전 오스트리아군을 통솔하는 군대의 유력자였고,

사회적 지위도 매우 높았어.
쑤욱
와

결국 슘페터는 의붓아버지 덕분에 빈의 귀족적인 분위기를 맛보며 어린 시절을 보낼 수 있었어.
안녕!
아… 안녕하세요.

슘페터는 1893년부터 1901년까지 테레지아눔에서 공부한 뒤,

1901년 졸업과 동시에 빈 대학교 법학부에 입학해서 1906년에 법학 박사 학위를 받게 돼.

당시 유럽 대부분의 대학에서 경제학은 법학부 내에서 수강하게 되어 있었고, 법률에 관한 학위를 취득하려면 경제학과 정치학에 관한 공부가 필수였어.

당시 슘페터는 경제학 공부를 중점적으로 했던 것으로 보여.

당시 빈 대학교는 유럽 경제학 연구의 중심지였어. 경제학에서 오스트리아학파의 창시자라고 불리는 카를 폰 멩거가 있었고,

그의 뒤를 이어 1903년에는 프리드리히 폰 비저가 취임해 왔어.

그러나 무엇보다 1905년 오이겐 폰 뵘바베르크가 재무장관직을 그만두고 빈 대학교 교수로 부임해 온 것은 빈 대학교의 경제학이 황금시대를 맞이하고 있음을 알리는 사건이었어.

내가 새 시대를 열겠어!

휙

헉

뵘바베르크가 부임한 뒤 역사에 남을 세미나가 열리게 돼.

뵘바베르크는 〈마르크스 체제의 종언〉이라는 논문을 써.
이 정도는 써 줘야지.

그 논문으로 마르크스 《자본론》의 내부 모순을 공격하게 되지.
크로스 펀치.
퍽
마르크스 체제의 종언
자본론
슉

이 주제는 사회주의를 추종하는 학생들을 자극하게 돼.
엉엉
자본론
나 맞았어.
언 놈이야.
뭐얏!

당시 빈 대학교에는 유럽 사회주의 지도자들이 많이 있었는데, 루돌프 힐퍼딩도 그중 하나였지.
와아
와

힐퍼딩은 독일 사회 민주당 내각의 재무장관을 두 번이나 역임했어.
이 정도 갖고 뭘….
와
와

그런 힐퍼딩이 당시 사회주의 서클의 지도자 자격으로 이 세미나에 참가하게 되고, 뵘바베르크의 마르크스 비판에 반발하여 마르크스를 옹호하는 논문을 발표하게 돼.
허리를 써 허리를…
마르크스 체제를 쓰러뜨려랏!!
퍽 퍽 퍽
마르크스 체제의 종언
퍽
영원하라 마르크스 체제
와
와
와
와
와
와
와
와

결국 이 세미나를 통해 뵘바베르크와 마르크스주의자들 사이에 불꽃 같은 논쟁이 시작되었는데,
와
와
뵘바베르크
와
마르크스
와

논쟁이 워낙 격렬하여 토론장이 난장판이 되기가 일쑤였대.
뵘바베르크
마르크스

슘페터는 이런 격렬하고 뜨거운 논쟁 속에서도
이렇게 뜨거운데 견딜 수 있나 봐라.
화르르
킥킥

냉정하고 과학적인 태도를 시종일관 유지하고 있었어.
손님 접대를 허술하게 하는군!
너무 춥구려!
허걱
휘이이잉

슘페터는 세미나를 통해 여러 의견을 나누었는데
마르크스 체제를 설명해 주실 분?
마르크스 체제는…
너무 많습니다.

여기에서 마르크스주의자에 대한 다양한 지식과
머릿속에서 직접 전달받자.
지이이잉
내놔랏!
윽

유럽 대륙의 사회주의 운동에 관한 통찰력을 얻었다고 해.
난… 누구지? 여긴… 어디야?
와~ 유럽이 한눈에 다 보여~!
유럽

슘페터는 1906년 대학교를
졸업한 후 영국으로 건너가서
부우우웅

런던에 체류하면서 상류 사회의 젊은
귀공자로 런던 사교계에 모습을
나타내기도 하고,
건배.

케임브리지나 옥스퍼드 대학교의
학문적 분위기에 젖어들기도 했어.

영국에서 보낸 시간은 슘페터에게는
가장 행복한 시간이었지.

그는 영국식 예절을 좋아했고 영국의 제도가 자신의 기질에 맞다는
사실에 기뻐했어.
부우웅…

또한 사교계에서 알게 된 열두 살 연상의
글레디스 시븐과 1907년 결혼했는데

슘페터는 24세, 시븐은 36세였어.
우린 띠 동갑.
와
36
24

시븐은 영국 성공회 대주교의
딸이었지.
믿으라.
구원을
얻으리라.

그렇게 서둘러 한 결혼이 시븐의 매력 때문인지,
영국이 좋았기 때문인지는 알 수 없어.
오~ 시븐.

그러나 이 결혼은 얼마 가지 않아 실패하고 말았어.
쩍
우린….
갈라섰
죠….

1914년 제1차 세계 대전이 발발했을 때 그의 아내는 영국으로 돌아간 뒤 영영 오스트리아로 돌아오지 않게 되고 공식적 이혼은 1920년에 하게 돼.
1920

결혼하던 해인 1907년, 슘페터는 이집트로 건너가 어떤 이집트 왕비의 재정 문제를 처리하는 변호사로 일하게 돼.
더운 것만 빼면 좋은데….
쩝
변호사 슘페터

이때 그는 왕비의 토지에 대한 소작료는 반으로 내리면서 수입은 두 배로 늘리는 재정적 수완을 발휘하기도 하지.
이글 이글
하하하! 이 정도쯤이야!
수입 2배
더운 건 어떻게 하지?

한편 이집트의 카이로에 있는 동안 그는 《이론 경제학의 본질과 주요 내용》을 발간했어.
탈고….
이글 이글
이론 경제학의 본질과 주요 내용
1908년 3월 2일에 발간됐어.

놀라운 것은 이 책이 참고 문헌이나 인용 문헌 없이 자신의 기억력이나 그때까지 축적된 학문적 지식만으로 완성된 책이라는 거야.
와

슘페터는 이 책을 로잔 대학교 교수로 있던 레옹 발라에게 증정했는데,
받으세요.
헉 헉
이론 경제학의 본질과 주요 내용 - 슘페터 -
이… 이걸 어떻게 들라고.

1909년 발라의 기념비 제막식에 참가한 슘페터가 발라에게 인사를 건네자
안녕하세요.
오~ 슘페터로군!
발라 기념비

발라는 이렇게 말했어.
아버지 책은 잘 봤네.
저… 그게.

발라는 26세의 청년이 그 책의 저자라고는 차마 생각하지 못한 거지.
저런~

그리고 서양에서는 아버지와 아들의 이름이 같은 경우가 있거든.
서양

미국 43대 대통령 부시의 이름도 41대 대통령인 아버지 부시와 같잖아.

슘페터는 자신이 저자라고 말했지만
제가 다 썼다니까요!
자네 농담도 잘하는군.

발라는 그때도 믿지 못했던 거 같아.
자네 아버지께 잘 봤다고 전해 주게.
우리 아버지는 돌아가셨잖아욧!

어쨌든 이 책은 젊은 슘페터의 이름을 유명하게 만들어 주었어.
어딜 가나 이놈의 인기는….
와~ 슘페터다!
정말?
어디?

이집트에서 슘페터는 마르타 열병에 걸려 고생을 했어.
부글부글
화르르..
으~

그것을 계기로 이집트를 떠나 오스트리아로 돌아왔고,
부글부글
휘이잉…
이집트
오스트리아

1909년 가을부터는 헝가리 제국의 동쪽에 있는 체르노비츠 대학교의 교수로 취임하게 되었어.
나 교수 됐다
체르노비츠 대학

현재 우크라이나 공화국에 위치한 체르노비츠는 빈에서 700킬로미터나 떨어진 변경이었어.
우크라이나 공화국 체르노비츠
언제 가냐.
악
빈까지 700km

당시 유럽의 대도시에서만 생활하던 슘페터가 시골 도시에서 지내는 생활에 만족하기는 어려웠어.
으아~ 지루해.

그는 동료 교수들을 시골 촌놈이라고 여겼어.
나 슘페터야! 엉?
뭐야 저놈.
난 슘페터 강아지야!

승마복 차림으로 교수회에 나타나거나,
회의하죠.

시골 도시의 소박한 사람들 앞에서 만찬용 예복을 입고서 식사를 하는 등 튀는 행동을 하면서 빈에서 떨어져 있다는 불만을 달래기도 했지.
오스트리아 빈~ 그립다….
저건 뭐냐.
후

1911년 슘페터는 빈에서 140킬로미터 정도 떨어진 그라츠 대학교의 정치 경제학 교수로 임명돼.
오시죠.
조건 좋습니다.

당시 경제학과 교수가 있는 대학교는 오스트리아 · 헝가리 제국에서 몇 개 되지 않았고
우린 조건이 더 좋아요!
우린 더!

슘페터의 나이가 28세였던 것을 감안하면 오늘날 보아도 신기하고 대단한 일이라고 하지 않을 수 없지.
슘페터를 잡아라!
으아아
으아아아

이곳에서 슘페터는 1917년까지 경제학과 교수로 있으면서 대표적인 저서 《경제 발전의 이론》(1912)을 출판하게 돼.
너무 고생했나. 내 머리털….
반짝반짝
그라츠
경제 발전의 이론
슘페터

이 책에서 그는 '본래 자본주의는 무엇인가', '어째서 경제 발전은 원활하게 이루어지지 않고, 경제는 상승 운동과 하강 운동을 반복하는 것일까?' 라는 문제 제기를 하고 있어.
꽉 잡아~
으~
덜덜덜덜

이 문제에 대해 슘페터는 자본주의는 능력 있는 기업가가 새로운 기술을 창조하고,
새로운 것이 통할까?
번쩍
잉
태양을 만드시다니
와

새로운 제품을 만들어 내며, 새로운 시장을 개척하여 결국 자본주의를 개척해 나간다고 보았어.
번쩍 번쩍
헉

자본주의 자체가 원래 역동적이라고 생각했던 것이지.
와아!
팡
와
와

1914년 보스니아의 수도 사라예보에서 오스트리아의 황태자 프란츠 페르디난드가 세르비아의 청년에게 암살됨으로써
크악
탕탕

오스트리아는 세르비아에 선전포고를 하게 되고,
전쟁이닷!
윽

세르비아를 지원하던 러시아는 총동원령을 내리게 돼.
전쟁을 건 게 너냐?
헉

그리고 오스트리아를 지원하던 독일은 러시아에 선전포고를 하고,
누가 자꾸 대들어!
헉

그 다음날 독일과 프랑스가 개전을 함으로써 제1차 세계 대전이 발발하게 되었단다.
뿌아앙
발사
펑
펑
쾅
펑
쾅
쾅

독일은 프랑스를 패배시키기 위해 중립국이던 벨기에를 침입하는 우회 작전을 취하게 되는데, 이것은 영국이 독일에 선전포고를 하는 계기가 되었어. 이로써 4년 3개월 동안 이어질 제1차 세계 대전이 시작되었지.
아~ 언제 끝나는겨!
앞으로 4년 3개월
끝
헉

*인플레이션(inflation) – 통화량이 늘어나 화폐 가치가 떨어지고 물가가 계속 올라 일반 대중의 실질적 소득이 감소하는 현상.

제1차 세계 대전을 주도한 독일의 경우 이것이 가장 심각했는데,
어떻게요?

예를 들어 보면, 1923년 1월 독일에서 1달러는 1만 7,000마르크였다가
우글우글
1달러
마르크
1만 7천 마르크

같은 해 4월에는 400만 마르크로,
와아
바글 바글
1달러
마르크

그리고 인플레이션이 최고조에 달했던 11월에는 4조 마르크에 이르렀대.
4조 마르크
와아
악
밀렸다!
밀지 마

1923년 11월에 빵 1파운드의 값은 2,500억 마르크였고,
빵
2천 500억 마르크

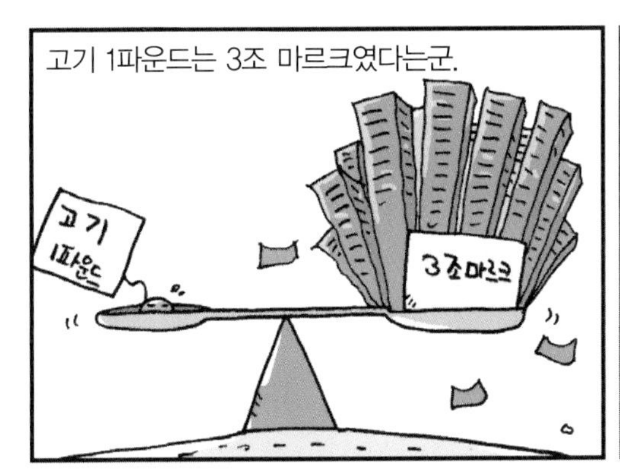
고기 1파운드는 3조 마르크였다는군.
고기 1파운드
3조 마르크

생각해 봐. 버스 타려고 버스비를 엄청 들고 다니는 모습을.
아저씨 차비요!
쿵

슘페터는 제1차 세계 대전의 결과로 심각한 인플레이션이 일어날 것을 예측했던 거지.
돈의 가치는 똥값이 되리니~
수리수리 마수리
뭐래?

제1차 세계 대전은
슘페터의 조국에도
큰 변화를 가져왔어.
복-
머리털
났다!

유럽을 군림하던 오스트리아 · 헝가리 제국은 체코,
슬로바키아, 헝가리, 남슬라브와 이탈리아의 북부
지역을 군림하던 거대 제국이었고
크앙
내가
왕이다.

지배 계급은 독일계
오스트리아인들이 차지하고
있었어.
시끄럽다.

그러나 제1차 세계 대전의 패배는
곧 제국의 해체로 이어졌지.
휘잉
내
머리카락!
으악

체코슬로바키아와 헝가리는 독립하고, 영토의 일부가 폴란드, 루마니아,
남슬라브 제국, 이탈리아에 귀속되면서 오스트리아의 남은 영토는
이전 제국 시대의 6분의 1에도 못 미치게
되었거든.
이제 옷이
맞지 않네.
질질질…
과거 오스트리아

오스트리아도 결국 1919년 2월 최초로 선거를
통해 공화국 의회를 탄생시키게 된단다.
공화국 의회
펑
펑

이 선거에서 마르크스주의 사회당이 제1당이 되고,
가톨릭 보수당과 연립 내각을 구성하여 집권하게 돼.
마르크스주의 사회당
가톨릭 보수당

이 연립 정부는 전쟁 후의 경제 문제를
해결하기 위한 전문가를 찾게 되고,
전문가를
찾습니다.

놀랍게도 슘페터를
재무장관으로 발탁했어.
짝짝
짝짝
재무장관

슘페터는 그 제안을 수락했고 대학 역
시 명예스러운 일로 받아들였지.
이왕 이렇게
된 거….
와
짝짝
재무장관

그러나 독일의 예에서 보듯이 오스트리아도 똑같이 악성 인플레이션의 문제에 직면하고 있었고,
오지 맛!
악성 인플레이션

패전국으로서 연합국에게 엄청난 배상금을 지불해야만 했지.
오스트리아
한 푼만 줍쇼!
흑흑
쯧쯧

슘페터가 아니라 어느 누가 재무장관이 되더라도 이 문제를 해결할 수는 없었을 거야.
이걸 무슨 수로 풀라고….

특히 슘페터는 주변 사람들로부터 따돌림을 당하고 있었어.
나 혼자….
갔다 올 동안….
다 풀어놔. 알겠지?

사회주의자들은 그가 사회주의자가 아니라는 이유로 슘페터를 신뢰하지 않았고,
난 경제학자일 뿐이라고….
사회주의
사회주의

보수 측에서는 슘페터가 사회주의자들의 추천을 받고 등장한 인물이라 신뢰하지 않았지.
쟤네가 나 안 믿어요!
와아
와아
응?!
사회주의
사회주의
사회주의
관료

관료들 역시 슘페터가 외부 인물이라 믿지 않았어.
나도 너 못 믿어!
헉
관료

결국 슘페터는 자신이 구상한 오스트리아의 부흥 정책을 제시하지도 못한 채 1919년 10월에 재무장관직을 사임하게 돼.
내 더러워서 그만둔다!
휙
오스트리아
사표
부우웅~

장관직을 사임하고 난 뒤 오스트리아의 악성 인플레이션은 맹위를 떨쳤어.

욱

크우우웅…

오스트리아

30년 뒤 미국에서 슘페터는 당시를 이렇게 회상해.
'독일과 오스트리아의 경제가 붕괴된 주요 원인은, 정국 안정을 위한 경제적 가능성이 없어서도 아니고 유효한 정책이 없어서도 아니다.

바로 정치다.

여론이 좋지 않다고 정책을 실행하지 않은 한심한 정치 지도자들 때문이었다.'

2년 뒤 슘페터는 명성과 역사가 있는 비더만 은행의 총재가 돼.

그러나 민간 은행이었던 비더만은 경제 공황을 견디지 못하고 1924년 파산하고 말아.

많은 사람들이 재산을 잃게 되었지.

슘페터 자신도 이 은행에서 대출받은 부채를 안고 실의 속에 은행계를 떠나게 되었어.

슘페터는 오랜 세월에 걸쳐 자신의 수입에서 부채를 계속 갚아 나갔어.

1925년 슘페터는 두 번째 결혼을 했어.

슘페터의 나이 42세, 신부인 안나 라이징거는 22세였어.

그녀는 슘페터의 어머니가 살던 아파트 관리인의 딸이었어.

어머니는 그녀를 어린 시절부터 잘 알고 있었고, 그녀를 슘페터의 아내로서 자격을 갖추게 하기 위해 파리와 스위스의 학교를 다니게 했어.

현명한 어머니를 둔 슘페터는 젊고 순수한 아내를 얻게 된 거야.

결혼과 동시에 슘페터는 본 대학교의 교수로 취임했어.

사랑하는 아내도 얻고 새로운 직장을 찾은 슘페터는 매우 행복한 시간을 보냈지.

슘페터의 친구들은 그가 평생에 가장 사랑한 사람이 안나였다고 말해.

그러나 행복했던 결혼 생활은 1년도 채 못 가서 끝나고 말아.

1926년 6월에 어머니가 돌아가시고, 같은 해 8월에 안나가 아기를 낳다가 숨진 거야. 게다가 아기마저 잃었지.

이후 슘페터는 정치나 경영을 향한 자신의 야심을 송두리째 버리고, 다시 경제학에만 전념했어.

그러나 슘페터가 하버드에 부임한 이래
하버드 대학교 경제학과는 황금시대를 맞아.
콰아악
쿠우웅

하버드에 재직하는 18년 동안 슘페터는 여름 방학 동안의 짧은
유럽 여행, 멕시코 강연 여행, 캐나다 몬트리올의 강연 여행을
제외하고는 미국을 떠나 본 적이 없을 정도로 쉴 새 없이
연구에 몰두해.

1937년 슘페터는 세 번째 결혼을 해.
이번엔 오래 갔으면 좋겠다.
저도….

상대는 엘리자베스 부디였는데
자신의 제자 중 한 명이었지.
안녕히….
교수님 안녕하세요~
어….

부디와 결혼한 후 슘페터는
지금까지 맛본 적이 없었던
가정생활을 하게 돼.
이 맛 말고~
퍽

슘페터의 친구들에 따르면 부디의 우정과 헌신이
없었더라면 슘페터는 우울증과 고독에서 벗어나기
어려웠을 거래.
사라져!
우울증
고독
퍽
윽!
퍽
부우우웅

왜 이런 우울증과 고독이
생겼을까?

그건 본에서 죽은 두 번째
아내 라이징거에 대한 추억
때문이었어.
흑흑…

라이징거는 1926년 죽기 직전까지 일기를 썼는데, 글쎄
슘페터는 이 일기를 계속 베껴 쓰고 있었대.
슥슥…

이 일기를 베끼면서 죽은 어머니와 아내에게
자신을 도와 달라는 기도의 말을 적고 있었던 거야.
슥슥슥 슥 슥…

이런 습관은 1937년 세 번째 아내인 부디를 만났을 때 중단돼.

그러다가 1940년 1월에 다시 시작되어 1949년 11월까지 지속되었지. 슘페터는 평생 고독한 삶을 살았던 거야.

슘페터는 학문의 영역에서도 외톨이였어.

슘페터 당시에 케인스는 슘페터와는 여러모로 대조를 이루는 경제학자였어.

케인스는 영국의 경제학자였는데,

영국 경제가 직면한 문제점을 해결하기 위해 정치인들에게 조언을 해 주는 사람이었지.

반면에 슘페터의 경제학은 대학의 연구실에 머무르면서 경제 현실을 관찰하는 것이었어.

케인스는 1936년 《고용 · 이자 및 화폐에 관한 일반 이론》을 발간했어.
고용 · 이자 및 화폐에 관한 일반 이론
케인스
이것을 움직이려면….

그 책에서 케인스는 정부는 경제에 의해 움직이며, 사회 전체의 이익을 고려하는 엘리트들에 의해 사회를 발전적으로 이끌어 갈 수 있다고 주장했지.
엘리트가 필요해, 엘리트!
고용 · 이자 및 화폐에 관한 일반 이론
찰싹
찰싹

슘페터의 많은 동료 교수들을 포함하여 대부분의 학자들은 케인스의 경제학에 열광한 반면에
와아
케인스
케인스
케인스
케인스
와

슘페터는 케인스가 정부의 역할에 대해 너무 낙관적이고 정부의 정책 개입이 도리어 자본주의의 정신인 기업가의 행동을 억제한다고 지적하면서 케인스의 이론을 받아들이지 않았지.
케인스
응?
케인스 반대
뭐야 이건
감히 케인스를..

슘페터의 제자들과 교수들이 케인스의 경제학에 감염되어 갈 때
야 밟아
헉
케인스 반대
와아
우르르…

결국 슘페터는 홀로 남게 되었어.
하….
케인스 반대

제2차 세계 대전은 슘페터를 더욱 고립시켰어.
밖은 무서워~.

제1차 세계 대전 동안 슘페터는 친영국 · 반독일적 입장을 취한 반면에
영국 만세.
칫

제2차 세계 대전에서는 독일의 입장을 옹호하는 듯한 모습을 보였어.
폴짝
Hi!
응?

슘페터는 전쟁이 서구 문명을 파괴했다고 예견했고, 전쟁을 피하기 위해서는 어떤 희생도 감수해야 한다고 보았던 거야.
독일 만세.
저것이.

슘페터는 독일도 내버려두면 결국 조용해질 것이라고 간주했어.
이제 조용해질 때까지 기다리자.

결국 슘페터는 반독일적 선전이나 정책에 강하게 반대하였고
영국 만세
영국 만세
영국 만세
독일 만세
또 저 자식이…
그… 그게 아니라

이 때문에 많은 친구들을 잃게 되었지.
또야~
독일

슘페터는 여러 해 동안 가장 괴로운 시간을 보내야만 했어.
만날… 나만 갖고 그래.
쿡쿡

제2차 세계 대전 기간 중인 1942년, 슘페터는 역작 《자본주의, 사회주의, 민주주의》를 출판해.

자본 주의
사회주의
민주 주의
슘페터
쿵

말년에 슘페터는 왕성한 활동을
하는데
겨우 30킬로미터
온 거야?
헛둘
헛둘
30Km

1948년에는 미국 경제학회 회장에
선출되었고,
말년에
웬 회장?
미국경제학회 회장

새로 구성된 국제 경제학회
초대회장을 맡기도 했지.
헉!
텅
국제경제학회 회장
미국경제학회 회장

그는 1949년 12월 26일 미국 경제학회에 참석하여
'사회주의로의 행진'이라는 제목의 강연을 하고,
March to
Socialism
와

코네티컷에 있는 산장으로 가서 대학 강의를 위한
원고를 손질하던 중
다듬어야
좋은 원고가
되지….

1950년 1월 7일 밤에 조용히 세상을 떠났어.
이제
'안나'를 볼 수
있겠지….

학자답게 끝까지 연구하다가 생을 마감하게 된 거야.
슘페터의 죽음을 접한 그의 제자들은 전기에 감전된 듯한
충격을 받았다고 해.
쿵
쿠르릉
쾅
스승님
헉!
크악
으아아

제자들은 '우리의 수호신이자 상징이었던
그분이 세상에 안 계시다고 생각하니 두려울
정도의 슬픔에 빠져든다.'고 한탄했대.
엉
엉
엉

그는 그렇게 낡은 유럽을 그리워하고, 생을 마감하기 전까지 죽은 아내 안나 라이징거와
어머니를 그리워하며 살아갔던 거야.

조지프 슘페터 연보

1883년 2월 현 체코 공화국령인 모라비아의 트리쉬에서 부유한 직물제조업자인 아버지 요세프 슘페터와 어머니 요한나 마르구에리테의 외아들로 태어남.

1887년 슘페터가 4살이 되던 해에 아버지가 사망함.

1893년 어머니 요한나가 오스트리아 · 헝가리 군의 육군중장이었던 지키스문트 폰 켈러와 재혼함.

1906년 7월 이혼.

1893년~1901년 귀족자제 전용학교인 테레지아움에서 공부함.

1901년 빈 대학 법학부에 입학, 1906년에 법학박사 학위를 받음.

1906년 영국으로 건너가 런던에 체류하면서 상류사회의 젊은 귀공자로서 런던 사교계에 모습을 나타내기도 하고, 케임브리지나 옥스퍼드 대학의 학문적 분위기에 빠짐.

1907년 사교계에서 알게 된 12살 연상의 글레디스 시븐과 결혼함.

이집트로 건너가 이집트 왕비의 재정 문제를 처리하는 변호사로 일함.

1908년 3월 2일 《이론 경제학의 본질과 주요 내용》 발간.

1914년 아내와 별거.

1920년 이혼.

1909년 체르노비츠 대학에 교수로 취임.

1911년 11월 그라츠 대학 정치경제학 교수로 임명됨. 1918년까지 경제학과의 교수로 있으면서 대표적인 저서 《경제 발전의 이론》(1912년) 출판.

1914년 제1차 세계 대전 발발.

1919년 2월 오스트리아 연립정부의 재무장관 발탁됨. 10월 정치적 압력으로 사임.

1921년 비더만 은행의 총재가 됨. 1924년 비더만 은행 파산.

1925년 슘페터의 나이 42세 때 슘페터 어머니가 살던 아파트 관리인의 딸인 22세의

안나 라이징거와 두 번째로 결혼. 결혼과 동시에 본 대학 교수로 취임.

1926년 6월 어머니가 65세의 나이로 세상을 떠남.

8월 아내 안나가 아이를 낳던 중 사망.

1925~1932년까지 본 대학에 재직. 강의와 저술에 몰두함.

1927~1928년 미국 하버드 대학에서 강의함.

1931년 일본 도쿄대, 교토대에서 강연함.

1932년 하버드 대학으로 영구 이주. 하버드 대학 경제학과의 황금시대를 만듦.

1937년 제자 중 한 명인 엘리자베스 부디와 세 번째로 결혼함.

1942년 제2차 세계 대전 중에 자신의 역작 《자본주의, 사회주의, 민주주의》 출판.

1948년 미국경제학회의 회장에 선출됨.

국제경제학회의 초대회장 역임.

1950년 1월 7일 밤 세상을 떠남.

저서

《자본주의, 사회주의, 민주주의(Capitalism, Socialism, and Democracy)》(1942)

《경제 분석의 역사(History of Economic Analysis)》(사후 출판 1954, 2판 1966)

《경제 발전의 이론(Theorie der wirtschaftlichen Entwicklung)》(1912, 2판 1968),

《경기순환론 : 자본주의 동향에 관한 이론적, 역사적, 통계적 분석(Business Cycles: A Theoretical, Historical, and Statistical Analysis of the Capitalist Process)》(1939, 수정판 1964) 등

제3장 마르크스주의 비판

차이점을 알아보기 전에 두 사람의 공통점부터 생각해 볼까?

마르크스는 자신의 역사적 유물론에 입각하여 자본주의 과정을 분석했어.
역사적 유물론
자본주의 과정

이 이론에 따르면 인간이 생활하는 데 필수적인 경제 환경이 정치, 법률, 종교, 문화 등을 결정해.
문화
법률
종교
정치
경제
끼릭
끼릭
끼릭

경제적 하부 구조가 그 위에서 나타나는 정치, 종교, 문화적 상부 구조를 결정한다는 것이지.
문화
종교
정치
경제적
하부
구조

그러니까 자본주의는 경제적 하부 구조의 분석을 통해 전체적으로 파악이 된다는 것이야.
경제적 하부 구조
팍

슘페터는 역사에 대한 마르크스의 깊이 있는 해석은 높이 평가하고 있어.
역시 굉장하군요!
역사
뭐~ 이 정도 가지고….
역사

그러나 '역사 변동의 원동력은 무엇인가?' 라는 점에서는 큰 차이를 보이고 있지.
역사
역사의 원동력
역사

마르크스의 경우, 경제적 토대의 모순이 계급 투쟁이란 형태를 취함으로써 사회 변동이 일어난다고 보았어.
하루 종일 일해도 먹고살기 힘들다니….
그대는 꽃보다 아름답소.
노동자
자본가

자본가 계급이 노동자 계급을 착취하게 되고, 이런 계급 간의 투쟁이 결국은 사회를 변혁시키는 원동력이 된다고 보았지.
내가 꼭! 열심히 노력해서 세상을 바꾸겠어!
부글 부글
진심이오!
?!
노동자
자본가

하지만 슘페터는 생각이 달랐어.
와~
예쁘다.
환상
난 별로!

그는 사회 변동의 원동력을 기업가의 혁신에서 찾았거든.
자, 어디…
철컥
지이잉
혁신

그는 혁신적 기업가가 창조적 파괴를 일으키게 되고,
건전지는 환경 오염이 많이 되니까…
뭔가 다른 게 필요해.
혁신

이것이 자본주의 사회의 풍요로움을 가져오는
원동력이라고 생각했어.
이거야! 바로 태양열!

동시에 이 풍요로움이 자본주의에서 사회주의로 이행하게
되는 기초가 되어야 한다고 보았지.

슘페터는 마르크스와는 다른 주장을 제시하면서
마르크스를 비판하고 있어.
저건 언젠간 무너질 거야!
저건 안 무너진다니까!

먼저 슘페터는 마르크스주의가
일종의 종교라고 비판해.
나를 믿으라!
마르크스님!
마르크스님!

종교는 사건이나 사람들의
행동에 절대적 기준을
제시하잖아?
넘어오면 다 내 거!

예를 들어 기독교는 살인하지 말라,
안식일을 지켜라 같은 율법을 반드시
지켜야 할 절대적 기준으로 제시하고
있어.
넘어왔으니까 내 거!
악!

마르크스주의는 이러한 종교와 비슷했어.
이제 내가 주인이다!
지우개
슘페터

마르크스주의는 현세에서 천국을 약속하고 있거든.
와
와
와
와
지우개
지우개

마르크스주의는 사회주의 혁명이 성공하면, 인간이 인간을 착취하는 것이 사라지고 불평등이 사라지는
지상 낙원이 이루어진다고 주장해.
지상 낙원

마르크스주의의 종교성이 지니는 중요한 위치는, 그 종교성이
바로 마르크스주의의 성공을
설명해 준다는 거야.
와아
와
와
와아
와
종교성

마르크스가 이룩한 역사적 불멸성은
순수한 과학성으로는 획득될 수 없는
것이라고 슘페터는 보았지.
또 뵙네요!
마르크스

마르크스주의자들의 모임은 대규모
종교 집회와 같았어.
마르크스 집회
"와아"
"와"
"와아"
"와"

마르크스는 어느 연단에서도 즉시 사용할 수 있는
화려한 화술과
크앙!

격렬한 비난과 몸짓 등
찡이이잉
"와아"

풍부한 재료를 자신의 신도들에게 물려주었어.
항상
지니고 다녀~
넵!
마르크스

신앙을 가진 모든 사람을 보면 알 수 있듯이
마르크스 님
최고!
우리를 구원해
주실 거야.
"와"

정통 마르크스주의자에게 반대하는 자는 단
순히 오류를 범하는 사람이 아니라 죄를 범
하는 사람으로 취급받지.
마르크스반대
뭐야?
감히!

이의를 제기하면 지적 비난을 받을 뿐만 아니라,
도덕적 비난도 동시에 받게 돼!
감히
반대를!
마르크스 반대
야~
밟아.
"와"
헉

일단 교시가 내려지면 그 교시에 대해서는 어떠한
변명도 할 수가 없는 거야.
또~ 야!
마르크스 반대
최고!!

슘페터는 마르크스를 예언자라고 보았어.
좌-악
와
와아
와

마르크스가 살던 사회는 자본가 계급이 주도권을 잡고 있는 시대였어.
다 이리 와!

자본가들의 의식과 생활 양식이 상식으로 통용되는 시대였지.
빨리 빨리 일해!
어서!

이런 사회 속에서 자본가 계급으로부터 착취받는 노동자들에게 마르크스주의는 한 줄기 광명과도 같았지.
흥!

마르크스는 당시 시대를 누구보다 더 잘 이해하고 있던 사람이었어.
잉!
자유다.
철컥

마르크스의 이론은 가난한 노동자들에게 호소력이 컸어.
자유다
와
와
자유다

마르크스주의는 노동자들로부터 열광적인 충성을 받으며 자기들이 옹호하는 입장은 결코 패배할 수 없고 반드시 승리를 거두고야 말 것이라는 확신을 안겨 주었지.
와아
와아
와
와
마르크스
마르크스
마르크스
마르크스
마르크스
마르크스
마르크스
마르크스
마르크스
마르크스
와아

그리고 마르크스는 자신이 만든 이론을 가르치려 하지 않았어.
가르침을 주십시오!

마르크스도 자신은 역사가 필연적으로 가야 할 역사적 · 변증법적 과정의 논리를 말하는 것에 지나지 않는 것같이 행세했거든.
이쪽이다!
와아
와
마르크스
마르크스
크스
나머지는 그의 열렬한 추종자들이 대신해 주었지.
와~ 재밌겠다!

모든 진정한 예언자들이 신의 대변자로 행세하듯이
날 따라오는 게 진리다!
와아
와
와

한편 슘페터는 예언자 마르크스가 한 개인으로는 높은 학식과 교양을 지닌 사람이라고 칭찬했어.
역시 대단한 사람이야!
어흠~

왜냐하면 중요한 부분에서 마르크스의 생각이 자신과 비슷했거든.
와우 내가 좋아하는 책이닷!
으악
우르르
쑥

예를 들어 마르크스는 프리드리히 엥겔스와 같이 저술한 공산주의의 이론적 · 실천적 강령인 《공산당 선언》에서 자본가(부르주아)들의 업적에 관해 다음과 같이 칭찬했어.
공산당 선언
마르크스&엥겔스

'부르주아는 이집트의 피라미드나 로마의 수로, 고딕 양식의 대성당을 훨씬 능가하는 기적을 이루었다.
마술을 보여 드리죠.

부르주아는 모든 국민을 문명으로 이끌어 가고 거대한 도시를 만들어 냈으며
짜잔

이리하여 인구의 상당한 부분을 무지몽매한 농촌 생활로부터 구출했다.
우아! 신기하다.
와아
와
와아

부르주아는 과거의 모든 세대를 합친 것보다 더 대량적이고 거창한 생산력을 만들어 냈다.'
쑥
쑥
엄청!

이런 마르크스의 평가에 대해 슘페터는 자신이 자본가 계급에 대해 생각하는 것과 같다고 말했어.
자본가

그럼 슘페터와 마르크스의 차이는 뭘까?
글쎄요….

바로 자본가 계급의 업적을 다르게 본 데 있었지.
왓! 업적요?
슉
쾅
업적

마르크스와 슘페터는 자본가 계급이 이룩한 업적을 평가하는 데서 서로 차이점을 보였어.
!
!

마르크스는 자본가 계급이 이룩한 업적은 자본가 계급이 노동자 계급을 착취한 결과인데, 그 혜택이 자본가 계급에게만 돌아간다고 보았지.
다 내 건데 어딜!
훽ㅡ
월급은 줘야지
반면에 슘페터는 자본가 계급이 이룩한 업적은 그들이 추진한 혁신의 대가라고 보았어.
많이 가져가는 게 당연해….
에휴~
부럽다.

창조적 파괴와 자본주의의 문명,

자본주의 경제는 어떻게 발전할까?
애덤 스미스 같은 고전 경제학자들은
경제가 나무처럼 성장한다고 보았어.
애덤 스미스
(1723~1790)
나는 나무다!

나무는 어떻게 성장하지? 나무는
일정한 속도로 규칙적으로 성장해.
어! 나무?

외부의 변화가 있으면 이런 변화에
수동적으로 반응하면서 성장하지.
음~ 정말 나무인가?
킁킁

그래서 나무의 성장 과정은 나무의
나이테를 보면 알 수 있어.
헉!
안 되겠어. 잘라서 나이테를 봐야겠어!

그러나 슘페터는 자본주의는 결코 나무처럼 규칙적이고 수동적으로
성장할 수 없는 것이라고 보았어.
자··· 잠깐만요! 나, 나무 아니에요~
엉엉
털썩
그럼 그렇지!

슘페터는 자본주의의 엔진을 작동시키는 것은 새로운 생산 방법, 새로운 기술, 새로운 수송 방법의 도입,
새로운 시장의 개척 등과 같은 역동적이고 창조적인 파괴라고 보았어.
뿌아아앙-
뿌앙
새로운 생산 방법
새로운 기술
새로운 운송 방법
쾅
창조적 파괴

새로운 생산 방법의 도입으로 창조적 파괴가 일어나는 경우를 한번 생각해 볼까?
헉 내 도끼.
휙
미끌

과거 각종 농기구나 생필품들이 만들어지던 곳은 대장간이었어.
풍덩.
….

모든 기구들은 대장장이의 손을 거쳐서 생활용품으로 만들어졌지.
금도끼 줄까? 은도끼…
얼마 안 하는데 사지 뭐!
부글부글
휙!

그러나 금형을 만드는 기술이 개발되면서 대량 생산이 가능해졌고, 결국은 많은 대장간들이 문을 닫을 수밖에 없었어.
도끼가 싸다 보니….
욱신 욱신
개점 휴업이군….

새로운 수송 방법의 도입에 의한 창조적 파괴에는 어떤 것이 있을까?
바로 기차지!
와
빠밤

철도가 도입되기 전에는 주변 몇십 킬로미터 정도가 일반적인 시장의 반경이었을 거야.
쿡
시장
애걔~ 겨우?

물건을 생산해도 물건을 대량으로 수송할 수 없는 상태에서 철도의 도입은 수백 킬로미터까지 반경을 넓혀 주었다고 볼 수 있지.
이쪽으로 옮기면 어때?
와! 넓다!
슉
척

새로운 수송 방법의 도입은 새로운 시장의 개척을 가능하게 했고, 슘페터는 이 과정을 창조적 파괴라고 보았어.
여러분들 중에도 우주선을 개발해 미래의 우주 시장을 개척할 사람이 있을 거야!

슘페터는 또한 경쟁에 대한 새로운 개념을 정립했어.

요즘 우리는 품질 경쟁, 판매 경쟁 같은 말들을 사용하잖아?

이런 새로운 경쟁 체제를 경제학에 도입한 사람이 바로 슘페터야.

슘페터 당시에 경쟁은 가격 경쟁에 대해서만 연구가 이루어졌어.

가격이 높은가 낮은가에 따라서만 사람들이 물건을 선택한다고 보았지.

예를 들어 자동차를 구입하는데 A회사가 2,000만 원에 차를 파는 반면, B회사는 1,500만 원에 판다면 사람들은 가격이 싼 B회사의 차를 사게 된다는 거야.

같은 자동차라면, 사람들은 가격이 싼 것을 선택할 거라고 생각한 거지.

그러나 과연 그럴까? 사람들은 가격이 비싸도 자기 기호에 좀 더 맞는 차를 사잖아?
저 회사는 싸긴 한데 디자인이 별로야!
B회사
세일
1,000 만원

자동차의 디자인이나 여러 가지 성능에 따라 사람들의 선택은 달라져.
A 회사
2,000만원
저 회사는 디자인은 좋은데 성능이 별로야!

유럽 차 모델을 좋아하는 사람들은 비싼 가격에도 불구하고 유럽 차를 구매하지.
유럽 회사
5,000만원
역시 내 스타일.

반면에 오디오 광들은 차의 성능이 어떻든 카 오디오 성능이 월등하면 그 차를 구입하게 될 거야.
광! 광!
쿵! 쿵!
Good
와우

또한 시장에 자신들의 자동차를 더 잘 알리는 사람들은 더 많은 자동차를 팔 수 있을 거야.
저 차도 굿!

맨체스터 유나이티드에서 활약하는 박지성의 유니폼에는 AIG라는 세계적인 보험 회사의 상표가 붙어 있어.
와아
와아
와아
와
와아
AIG
AIG
박지성

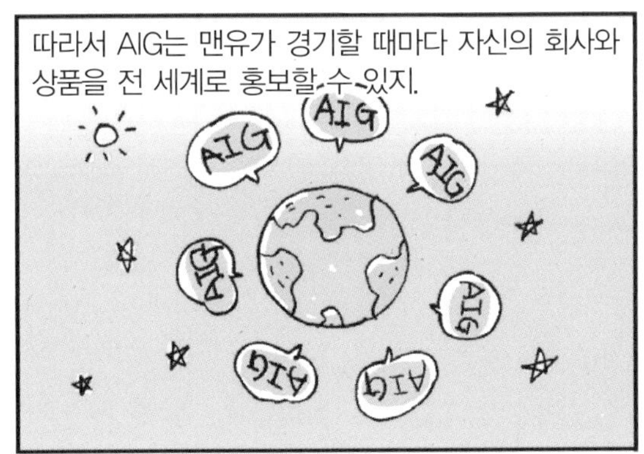
따라서 AIG는 맨유가 경기할 때마다 자신의 회사와 상품을 전 세계로 홍보할 수 있지.
AIG
AIG
AIG
AIG
AIG
AIG
AIG

결국 소비자들의 물건 선택은 가격 이외에 상품의 품질이나 회사의 마케팅 등에 의해 영향을 받게 되는 셈이야.
마감 5분 전.
저… 전화기… 빨리!
우다닥

결국 창조적 파괴의 과정은 품질 경쟁이나 판매 경쟁 같은 새로운 영역의 경쟁을 가져오게 되었고,

슘페터가 도입한 새로운 경쟁 체제는 지금 우리가 경험하고 있는 것과 같은 것이라고 볼 수 있어.

할인점 같은 대형 마트가 들어서는 것이야말로 구멍가게의 생존을 위협하는 일이지.

마찬가지로 동네 옷가게들은 대형 백화점이 입점하는 것을 가장 두려워할 수밖에 없어.

예를 들어 어떤 기업이 새로운 기술을 도입하는 경우,

특정 기술을 도입한 기업은 시장에서 원기 왕성하게 활동을 하겠지만

다수의 다른 경쟁 기업들은 도산할 수밖에 없을 거야.

다수의 기업들이 도산하면 당연히 실업자들이 생기겠지.

결국 어느 한 회사가 독점자로 등장하게 될 거야.

슘페터는 창조적 파괴의 과정에서 등장하는 시장 독점을 자연스러운 현상이라고 보았어.

우리는 시장을 독점하는 기업은 자신들 마음대로 상품의 공급과 가격을 결정하기 때문에 시장 독점은 시장을 왜곡시키는 나쁜 것으로 알고 있잖아.

그러나 슘페터는 창조적 파괴의 과정에서는 단기적으로 독점적 지위가 존재하는 경우가 많다고 보았어.

음료수 시장에서 유리병만 사용하던 시대에 새롭게 알루미늄 캔을 사용하는 기업이 등장하면 그 기업은 다른 기업들이 알루미늄 캔을 사용하기 전까지는 독점적 지위를 유지할 수 있어.

따라서 슘페터가 주장한, 창조적 파괴를 위한 새로운 생산 방법과 기술의 도입은 출발부터 완전 경쟁이 있을 수는 없다는 결론에 이르게 되지.

고전 경제학자들에 따르면, 완전 경쟁이란 최적의 생산과 배분이 일어나는 이상적인 시장의 상태를 의미해.

하지만 완전 경쟁 상태가 되기 위해서는 다음과 같은 몇 가지 조건이 필요하지.

첫째, 사려는 사람과 팔려는 사람, 양쪽이 모두 다수 존재해야 해.

왜냐하면 몇몇 사람들만으로는 시장의 가격에 영향을 미칠 수 없으니까.

둘째, 모든 생산자들이 생산하는 제품이 아무런 차이가 없는 동질의 제품으로 교환이 가능해야 해.

셋째, 시장에 들어오는 것과 물러나는 것이 완전히 자유로워야 해. 예를 들어 신발 공장에 근무하던 사람이 양말 공장으로 가는 것이 자유로워야 한다는 거야.

넷째, 모든 경제 주체들, 즉 생산자나 소비자들이 모든 정보를 공유할 수 있어야 해.

위와 같은 조건이 갖추어져서 완전 경쟁 시장이 성립되면 시장은 경제적으로 최대의 효율을 내는 상태에 이를 거야.

하지만 이러한 완전 경쟁 시장은 현실적으로 존재하기는 어려운 이상적인 상태라고 볼 수 있어.

게다가 슘페터는 자본주의 경제에서 완전 경쟁 상태에 있는 기업들은 기술적 능력 등이 떨어져져서 낭비를 발생시키는 기업들이라고 보고 있어.
한 개랬는데 한 박스 만들면 어쩌냐구!
죄송합니다.
1BOX
1X1000

이런 기업들은 혁신의 기회를 낭비하고 있고, 자본을 낭비하는 기업들이라고 보았지.
처리비가 더 들게 생겼다.
1BOX
1X1000

슘페터는 근대적 산업 구조하에서 완전 경쟁은 불가능할 뿐 아니라 열등한 것이며
경쟁이 안 되잖아.
어째!

독점적 대기업이야말로 경제 발전을 위해 없어서는 안 되는 필요악이라고 인정했어.
대기업
니들에겐 내가 필요해!

그는 독점적 대기업을 완전 경쟁의 형태로 만들려고 정부가 통제하는 것은 옳지 않은 정책이라고 생각한 거지.
통제할까? 말까? 음….
흥!!
대기업
맘대로 해보시지!

그러면 자본주의 사회는 그 이전의 사회와 어떻게 다를까?
우가우가
이리 오너라
평화
아주 먼 옛날
옛날
현재

슘페터는 다음과 같은 변화가 있었다고 주장해.
next
으~

첫째, 슘페터는 자본주의는 인간의 마음에 합리적 태도를 강요했다고 보았어.
합리적 태도

합리적 태도란 무얼까?
무슨 말이에요?
잘 봐~

인간들 속에는 이기심과 이윤을 추구하는 본능적인 속성이 있어.
인간
이기심 이익추구
찌이익

그러니까 인간들이 이윤을 추구하려고 합리적으로 행동하는 것은 자본주의 이전에도 있었던 인간들의 행동 양식이라고 할 수 있어.
히히
돈이 짱 좋아.
나도!
킥킥..
예나 지금이나 돈이 최고!

슘페터는 자본주의가 이런 인간의 합리성을 더욱 높이고 예민하게 만드는 데 기여했다고 보았어.
잘 살아 보세~
우리도 한번~
자알 살아 보세~
부웅
와

그래서 어떻게 됐어요?
그 결과는 어땠을까?

자본주의적 행동은 화폐 단위를 '합리적 비용 = 이윤 계산'의 도구로 전환시켰어.
오늘은 월급날!

자본주의 이전에도 화폐는 있었지만, 그때는 어디까지나 물건을 사고 팔거나 교환하는 수단으로만 사용했어.

!

!

쌀

소금

병을 치료하는 병원에도 변화가 생겼어.

예전 병원과 달리 자본주의 시대의 병원은 기업화되었다고 볼 수 있지.

투자를 많이 할수록 최신 의료 기기나 장비를 갖추게 되고,

병실을 더 늘려 더 많은 환자를 받을 수 있게 되니까 말이야.

따라서 병원도 이윤을 추구하는 일반 기업과 아무 차이가 없게 되었어.

둘째, 슘페터는 자본주의가 합리성이라는 근대 과학의 태도를 만들었을 뿐 아니라 봉건적인 구질서를 무너뜨리는 강한 의지와 재능을 가진 새로운 계급을 등장시켰다고 했어.

자본주의 이전에는 자신이 속한 계급을 뛰어넘어 사회 지배 계급이 될 수 있는 여지가 없었어.

상인은 장사를 잘해 돈을 벌어도 상인으로 남아 있을 수밖에 없었지.

마찬가지로 장인이 기발한 물건을 만들어 팔아 부자가 되어도 장인 신분에서 벗어나는 일은 결코 하지 않았어.

그러나 자본주의는 재능과 야심을 가진 사람들이 자본주의 기업을 만들어 사회 최고의 인재들을 끌어모아 상업, 금융, 공업, 광산 등의 분야에서 큰 성공을 거둠으로써 사회의 지배 계급이 되는 길을 열어 놓았어.

미국의 카네기나 록펠러 같은 기업가들은 사업에 크게 성공하여 미국 사회를 이끄는 지도층이 되었잖아.

이 모든 변화가 자본주의 이전에는 없었던 현상이라고 볼 수 있지.

셋째, 슘페터는 자본주의 문명이 본질적으로 반영웅적이고 평화적이라고 보았어.

물론 산업이나 상업에서 큰 성공을 거두려면 엄청난 힘과 원동력이 필요해.

그러나 그때의 힘은 칼을 휘두르거나 육체의 강인함을 자랑하는 고대의 용사와 같은 종류의 힘이 아니야.

따라서 슘페터는 자본주의를 이끈 자본가 계급이 근본적으로 평화주의자라고 보았어.

자본주의가 평화를 추구한다는 슘페터의 주장은 마르크스주의의
주장과는 큰 차이를 보이고 있어.
흥!

마르크스주의자들이 생각하는 자본가 계급은 자신들의 이해타산에
맞는다면 침략과 전쟁을 주저하지 않는 집단이야.
쾅!
쾅!
펑
펑
쾅!
쾅!
쾅!

또한 전쟁이나 정복에 의해 얻어지는 이익을
거부한 적이 없는 사람들이지.
이익이 되면
뭐든지!
킥킥킥
펑!
쾅

그래서 마르크스주의자들은 자본주의가 최종 단계로 발전하게 되면
제국주의로 진화한다고 주장해.

이에 대해 슘페터는 자본주의가 자기 이익을 합리적으로
추구하는 원동력으로 작동하는 평화 애호적 경제 체제이고,
엉?
빵빵

또한 그 본성상 반제국주의이므로, 자본주의와
제국주의는 물과 기름처럼 공존할 수 없는
것이라고 보았어.
이게….
크르릉..
껍질이나
먹고 떨어져!

우선 슘페터는 자본주의 이전에 전형적 제국주의의 사례로 고대 이집트, 페르시아, 로마 제국, 프랑크 왕국, 절대 왕정기의 러시아 등을 제시함으로써 시대적 · 공간적으로 제국주의가 방대한 것임을 지적하고 있어.

이들 제국의 지배 계급은 호전적이고, 합리적 목적으로 전쟁을 일으키는 것이 아니라 정복 자체를 위한 정복을 추구했다고 슘페터는 말했지.
크하하하

그리고 자본주의 사회에서 발견되는 근대적 제국주의는 자본주의가 철저하게 발전하지 못했기 때문에 발생한다고 했어.
엄마, 돈 더 줘!
내가 자식을 잘못 키웠어!
사랑의 매
저런 놈은 매가 약이지!

즉 절대주의 시대의 호전적 요소가 사라지지 않고 남아 있기 때문에 제국주의가 나타난다고 보았지.
퍽 퍽
제국주의의 잔재를 날려 주마!
부웅
크악

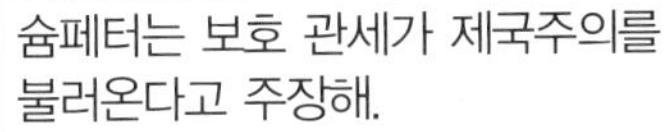

슘페터는 보호 관세가 제국주의를 불러온다고 주장해.

A국과 B국의 예를 들어 보자. 자유 무역이 지배하는 곳에서는 어느 누구도 무력을 통한 영토 확장에 관심을 갖지 않아.

그러나 관세 장벽은 원료와 상품의 수출과 수입을 방해하게 되지.

A국에 보호 관세 장벽이 생기면, 국내에 몇몇 기업들이 정부의 비호를 받으면서 자기들끼리 연합(카르텔)을 형성해.

이때 연합을 형성한 기업들은 국내 시장에서는 독점 가격으로 물건을 팔고 해외 시장에는 국내보다 낮은 가격(덤핑)으로 물건을 팔지.

이것은 직접적으로 B국의 기업들에게 타격을 줘.

B국의 기업들은 A국의 시장에 접근도 못 하면서 A국의 덤핑으로 자신들의 상품을 자국 내에서도 팔 수 없는 상황이 발생하는 거지.

흐흐흐..

당하고는 못 살아!

이에 B국 역시 A국처럼 보호 관세를 부과하게 돼.

그 결과 양국의 기업들은 서로 큰 희생을 치르게 되고 결국 제국주의로 가게 되겠지.

결국 슘페터는 근대적 제국주의의 출현은 마르크스주의가 주장하는 자본주의 양식 때문이 아니라, 자본주의의 발전을 가로막는 과거 절대주의 시대의 관행 때문이라고 보았어.

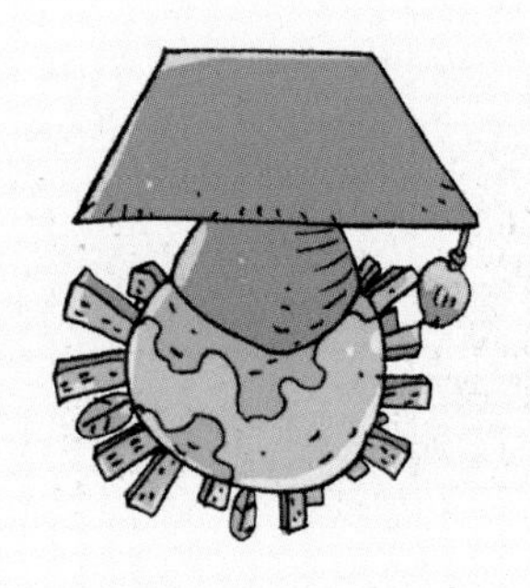

노동자를 위한 세기의 강령 《공산당 선언》

Manifest

Kommunistischen Partei.

London.

▲ 공산당 선언 표지

1848년 2월 출판된 《공산당 선언》은 세계에서 가장 영향력 있는 문헌 중 하나입니다. 이 선언은 당시 국제 노동자 조직이던 '2차 공산주의자 연맹'의 의뢰로 마르크스와 엥겔스가 저술한 공산주의의 실천적 강령이랍니다.

비록 마르크스와 엥겔스가 공동 저자이지만, 엥겔스에 따르면 《공산당 선언》은 전적으로 마르크스의 작품이라고 합니다.

이 선언은 처음에는 독일어로 출판되었고 이후 영어, 러시아어, 프랑스어 등으로 변역되어 각국에 소개되었습니다. 《공산당 선언》의 내용은 서문과 전 4장으로 구성되어 있습니다.

서문은 공산주의를 유령에 비유하면서 이렇게 시작하고 있습니다. '유령이 유럽에 떠다니고 있다. 유럽의 모든 과거 세력들은 이 유령을 몰아내기 위한 신성 동맹을 결성하고 있다. 과거 세력들은 교황, 차르, 프랑스의 급진주의자들, 독일의 정치 스파이들이다.'

1장 '부르주아와 프롤레타리아'는 공산주의의 역사 인식인 사적 유물론에 대해 설명하고 있습니다. 즉 '지금까지의 모든 역사는 계급 투쟁의 역사이다. 자유인과 노예, 귀족과 평민, 영주와 농노, 길드의 장인과 직인, 즉 서로 적대 관계에 있는 억압자와 피억압자가 끊임없이 투쟁을 벌여 왔다. 그리고 이 투쟁은 사회 전체가 혁명으로 바뀌거나 아니면 투쟁하는 계급들이 함께 몰락하는 것으로 끝이 났다.' 고 언급하면서, 자본주의하에서 투쟁은 부르주아와 프롤레타리아 간의 투쟁이라고 주장하고 있습니다. 동시에 자본주의 사회가 진보할수록 프롤레타리아 계급은 더 단결하게 되므로 결국 부르주아는 멸망하고 프롤레타리아가 승리하게 된다고 주장하지요.

▲ 마르크스(왼쪽)와 엥겔스

2장 '프롤레타리아와 공산주의자' 는 공산주의자들이 노동자들과 대립하지 않고 국적에 상관없이 공산주의자들은 프롤레타리아의 전체 이익을 대변하는 역할을 하게 될 것이라고 선언하고 있습니다. 결국 공산주의가 발전하는 가운데 모든 계급적 차이는 사라지게 되고, 한 계급이 다른 계급을 억압하려고 사용하는 폭력도 사라지게 되겠지요. 마침내 계급 간의 대립으로 얼룩진 부르주아 사회 대신에 전체의 자유로운 발전을 가져오는 조화로운 사회 연합체가 나타나게 된다는 것이 이 장의 요지입니다.

3장 '사회주의와 공산주의 문헌' 은 여러 사회주의 사상의 보수성, 공상성 등을 비교, 비판하고 있습니다.

4장 '여러 반대당에 대한 공산주의자들의 입장' 은 공산주의를 위해 모든 사회 질서를 폭력적으로 무너뜨려야 한다고 선언하고 있습니다. '공산주의자들은 자신들의 목적은 현존하는 사회 질서를 폭력적으로 타도함으로써만 이루어질 수 있다고 선언한다. 지배 계급들이 공산주의 앞에 벌벌 떨게 하라. 프롤레타리아가 혁명에서 잃을 것은 쇠사슬뿐이고 얻을 것은 세계 전체이다.' 라고 선언하고 있습니다.

제4장
무너지는 자본주의의 성벽
주
본
자

자본주의의 미래는 어떻게 될까?
자본주의
미래

인간의 경제적 욕망이 충분히 채워지고, 노력하는 동력이 소멸되고 만다면 자본주의는 어떻게 될까?
으아~
배불러서 더는
못 먹어!

이는 마치 전쟁이 없는 영구 평화의 상태에 이르게 되면
진격

군대를 지휘하는 장군의 존재는 어떻게 될까? 하는 질문과 비슷한 질문이 될 거야.
엥
인간아~
전쟁 끝난 지가
언젠데⋯.
만날
진격이래

이런 상태에서는 기업가가 할 일이 남아 있지 않을 거야. 모든 산업이나 상업이 일상 행정 업무가 되고
전쟁도 없고 장사나 해 보자.
행정기관
터벅터벅

종업원들은 관료적인 성격을 띠게 될 거야.
사업자 등록 좀….
장사 해 보시게요?
등록증
담당

슘페터는 바로 이때 사회주의가 자동으로 출현한다고 보았어.
혁명을 일으켜 나라를 바꾸겠어!
부드득
퍽

정말 기업가들이 할 일이 없어질까요?
잘 들어 봐.

기업가들이 할 일이 없어진다는 것은 무슨 뜻일까?
장인
끙~
장인 정신으로 만들어야 진짜지!
장인 정신!
지이이잉

기업가가 할 일이 없어진다는 것은 전통적인 기업가의 역할이 바뀐다는 것을 의미해.
대량 생산이 최고!
히히
지이잉
뚝
장

기업가들의 기능은 새로운 기술을 이용하거나,
신체열로 켜지는 전구!
와~ 드디어 성공이다!

원자재의 새로운 공급원을 개발하거나
연료 걱정 없어!
태양열

새로운 시장을 개척하여 혁신을 도입하는 것이지.
무공해 자동차.
생수

이런 혁신적 과정은 분명히 기존의 사회로부터 저항을 일으키거든.
휘이이이잉
으아아아
혁신의 과정
기존 사회 저항

기업가의 역할은 이런 저항을 극복해 가면서 새로운 생산 양식을 도입하는 거야.
헤-
기존 사회 저항
혁신적 과정

그런데 기업가의 혁신 자체가
일상적인 과정이 되면
또야?
휘이이잉
혁신적 과정
기존 사회 저항

사람들은 그런 경제 변화에
익숙해지지.
시원하다.
혁신적 과정
기존 사회 저항

저항을 하는 대신에 변화를
당연한 것으로 받아들이게 돼.
바람을
느껴 볼까.
혁신적 과정

결국에는 변화를 이끈 기업가를 대수롭지
않게 여길 수도 있을 거야.
으아아…
부우우웅
뭐야? 별거
아니잖아.

이렇게 경제 발전이 자동화가 되면 과거 기업가 개인의 활동 역할이
위원회나 관료 기구로 대체되는 경향이 발생하게 될 거야!
우리가
대신 한다.
흥!
너희들은
필요 없어
우리
역할을
돌려줘라.
위원회
관료기구
물러가!
개인
개인
개인

군사적인 예를
들어 보면 이해하기
쉬울 거야.
호이-
뒤뚱
뒤뚱

옛날 전쟁에서 장군이 되는 것은 지휘관이 되는
것을 의미했고

전쟁에서의 성공은 지휘관 개인의 성공을 의미했지.
음-
만세
와
만세
와
와
와

미국의 참모 본부는 합리적 계산을 바탕으로 전투기와 미사일 등을 동원해 모든 전략 지역을 정밀하게 폭격해.

그래서 미국 육군이 도착하기 전에 이라크의 거의 모든 군사 시설은 무력화되고 말지.

군사적 예를 하나 더 들어 볼게.
기사로 임명하노라.

중세 시대에 전쟁은 아주 개인적인 것이었어.
와!
멋지다!
난 혼자가 좋아.

기사들은 한 사람 한 사람이 개인적으로 익힌 무예와 용맹에 의해 개별적으로 평가되었어.
크악
촤악

그러나 총과 포탄의 등장은 기사들의 지위와 기능을 무너뜨리고 마침내 존재 의미를 상실하게 만들었지.
덤벼 보시지!
헉
팅!

전쟁 자체는 없어지지 않았지만, 군대에서 개인적 업적은 존재하지 않게 되었어.
으아아아아아...
펑
쾅

자본주의 사회에서 기업가는 자기 능력으로 성공하기 위해 일한다는 점에서
활약해서 귀족이 돼야지!
진격
촤악!!
와
와

중세의 기사와 큰 차이가 없다고 할 수 있어.
부장으로 진급하고 말 거야!

회사의 경영 혁신을 맡은 부서나 신제품 개발부 같은 기관의 집단적 역량에 의해 혁신이 주도될 수밖에 없겠지.

와
와
와
우글우글
와
와
혁신!
칫
개인

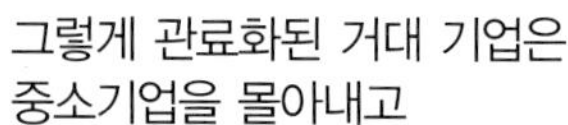

그렇게 관료화된 거대 기업은
중소기업을 몰아내고

앤드루 카네기
(1835~1919)

존 데이비슨 록펠러
(1839~1937)

숨페터는 자본가 계급의 몰락은 자본주의를 지탱해 주던 제도적 구조인 ‘사유 재산’과 ‘계약의 자유’를 제한할 수밖에 없고, 이것이 결국 자본주의의 몰락을 가져온다고 보았어.

그 과정을 한번 살펴볼까?

숨페터는 대기업들이 중심이 된 자본가 계급은 소상인이나 소생산자들의 경제적 기초를 파괴한다고 보았어.

다수의 중소기업을 배제시키는 이런 결과는 한 나라의 경제 구조에 심각한 타격을 주게 돼.

왜냐고? 잘 봐! 중소기업의 소유자나 종업원들은 자신의 가족, 그리고 주변 사람들과 함께 투표에서 큰 영향을 미칠 수 있어.

대부분의 국가에서 대기업에 종사하는 사람들과 그 가족의 수는 10퍼센트 미만이고 중소기업 종사자의 수와 그 가족은 인구의 90퍼센트 정도를 차지하고 있잖아.

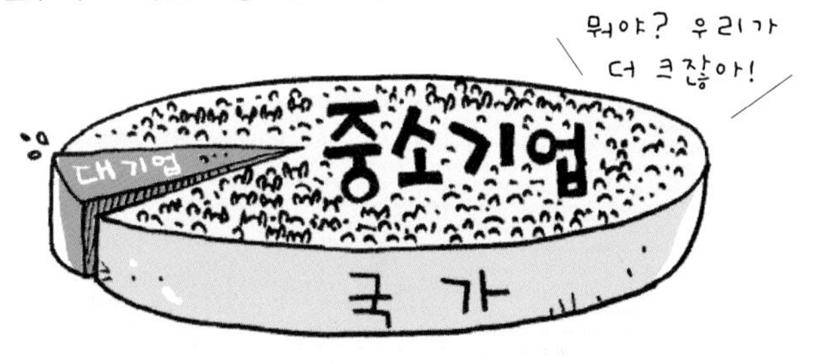

숨페터는 이런 중소기업의 몰락이 한 나라의 정치에 미치는 영향은 다름 아닌 사유 재산이나 계약 자유의 기초 그 자체의 상실이라고 보았어.

90퍼센트 이상 대다수의 국민이 몰락한 상태에서 정상적인 법질서가 유지되기는 어려울 거야.

슘페터는 또한 대기업 단위에서조차도 자본주의 질서의 핵심인 '사유 재산'과 '계약 자유'가 제약을 받을 수밖에 없다고 보았어.
쳇!
내가 타기엔 너무 작잖아.
사유 재산
대기업
계약 자유
덜덜덜덜덜…

사유 재산의 개념이 희박해지는 경우를 한번 살펴볼까?
돈이닷!
앗! 내 돈.
헉
주우면 임자!

슘페터는 회사가 사실상 1인이나 한 가족에 의해 소유되는 경우가 아니면 그 소유 개념이 희박해진다고 보았어.
회사
요즘 회사가 어렵대….
어렵든 말든 내 회사도 아닌데 월급이나 잘 주면 그만이지.
흥

예를 들어 볼까? 요즘 회사는 경영자와 소유자가 분리된 경우가 많아.
어라
소유자
경영자

그래서 회사에는 월급을 받는 사장, 이사 그리고 부장들이 있는 반면,
보너스는 안 주나….
사장
이사
부장

실제 회사의 지분을 소유한 대주주와 소주주가 있지.
○○ 회사
히히
대주주 거
대주주
와
빠글빠글
우리 거
소주주 거

이런 경우 월급을 받는 회사의 중역들은 자신들이 회사에 의해 고용된 사람들이라고 생각하게 될 거야.
이 기획대로 하면 큰 이익을 얻을 수 있습니다!
너무 위험해! 가서 시키는 일이나 잘해!
기획서
윽! 죽었잖아!
퐁퐁
대주주
PSP

따라서 회사의 실제 소유자인 주주의 이익과 자신들의 이익을 동일시하지 않을 거야.
내가 괜한 짓을 했지. 어차피 내 회사도 아닌데….
으하하하
신기록이다
PSP

마찬가지로 대주주들은 회사와 자신들의 관계를 영속적으로 생각하지 않을 거야.
이 회사 내 건데 왜 정이 안 가지?
오락이나 해야겠다.
대주주
OO대기업
뭐~ 열심히 해 봤자 내 회사도 아니고….
사장
월급날 언제지?
어제 받았잖아.

중소기업의 소유자들이 자기 회사에 대해 가지는 마음가짐 같은 것은 기대하기 어렵겠지.
대기업
우리 열심히 해서 대기업으로 크게 만들어 봅시다.
사장님 만세!
중소기업

그래도 대주주들은 회사를 좌지우지할 수 있는 힘을 가지고 있으니 회사 일에 간섭할 수는 있을 거야.
투자한 만큼 수익이 별론 거 같은데….
걱정하지 마세욧!
후비 후비
굽신 굽신
이봐 우리는….

그러나 소주주들에 대해서는, 중역들도 크게 주의를 기울이지 않겠지.
배당금을 올려 드릴게요.
헤~
히~
이봐 우리는….

그러니 소주주들은 심한 냉대를 받고 있다고 생각하게 되고.
우리가 소주주라고 무시하는데….
그런 거 같은데.
우릴 무시하면 어떻게 되는지 본때를 보여 주겠어!
우글
와
우글우글

그래서 거의 예외 없이 자신들이 주식을 소유한 대기업들에 대해 자기도 모르게 적대적인 태도를 취하게 돼.
포수가 쫓아와요. 도와주세요~
사슴 여기 있다!
대기업
소주주
헉

계약의 자유에
대해서는 어떨까?
안녕!
계약
의
자유

자본주의 초기에 계약의 자유는 무한한 가능성을 가지고 개인의
선택에 의해 규제되는 개별적인 계약을 의미했어.
당신의 높은 능력에
맞게 계약하기로
하겠습니다.
기업
계약
조건

그러나 현재의 계약은 고정적이고 비개인적이며 관료화된
계약이 주를 이루고 있지.
도장만
찍어.
기업
웅성
웅성
쿵
계약서

대표적인 것이 노동 계약이야.
노동계약

노동자가 대기업과 계약을 맺을 때, 노동자는 기껏해야 대기업이 주는
일이나 임금을 받아들일 것인지 말 것인지를 결정하는 정도일 거야.
치~
노동자
노동자
할래?
말래?
대기업
계약
조건

결국 자본주의가 성장하면서 주식을 소유하는
것이 재산을 소유하는 것이 되어 버렸지.
으하하
으하하하
부자
주식
재산

주식이 돈이 된다,
이 말이지~
아빠는
망했는데

슘페터는 이러한 것들이 자본주의의
생명을 빼앗아 가 버리고 말았다고
주장해.
자본
주의
자본
주의
유해
물질

슘페터는 자본주의 과정이 많은 제도적 권위를 파괴해 버릴 것이라고 했어.
퍽
자본주의
제도적 권위
쨍그랑

결국에는 사람들이 자본주의 자체에 반항하게 되는 상황이 온다고 보았지.
너 이게 뭐야? 이제부터 용돈 없어.
일부러 그런 것도 아니잖아요!

슘페터는 이 과정에서 지식인들의 역할을 강조하고 있어.
지금….
싸우는 것임?
아니.
아녜요.
지식인

슘페터는 자본주의적 제도하에서 군대가 동맹 파업자들에게 발포하는 일은 있어도 지식인들을 체포하여 가두는 일은 할 수 없다고 보았지.
넌 그거 치우고!
애들 용돈 가지고 협박하면 못써욧!
넵
쌩
쏙
샥
넵
척

슘페터는 현대 사회에서 사회주의 정부나 파시스트 정부만이 지식인들을 억압하고 제압할 힘이 있다고 보았어.
으악
사회주의 정부
지식인
으아악
으~ 이대로 당할 수 없어.
으아악
으악
으악
파시스트 정부
지식인

지식인을 제압하기 위해서 슘페터는 국민 모든 계층이 개인적 자유를 단호하게 제한하지 않으면 안 된다고 했어.
보고 듣고 말하기 제한!
움직이는 것도 완전 차단!
왜 저렇게까지 해요?
그건 뒤에 나와~
읍읍
읍읍
읍읍
사회주의
모든 계층
파시스트

슘페터는 지식인의 영향력이 이렇게 강하게 된 사회적 배경에 대해서 이야기하고 있어.

첫째, 대중의 생활 수준 향상과 여가 증대, 서적이나 신문의 보급, 그리고 더욱 저렴해진 생산품들도 이유가 된다고 보았지.

이런 상태에서 지식인들이 대중의 집단적 기호를 변화시킬 환경이 형성되었다고 보았어.

둘째, 자본주의 문명의 가장 중요한 특징은 대학 이상의 고등 교육을 위한 설비가 눈부시게 확충된 것이야.

대학원
학원
대학원
심화과정

이것은 대규모 산업의 발전에 뒤떨어지지 않으려는 불가피한 선택이었지.

대기업 입사조건
대졸자 이상
4.0 이상자

결국 여론이나 공공 당국이 고등 교육의 설비들을 육성했다고 볼 수 있는 거야.

자본주의 이전에는 대학 교육이 요즘처럼 보편적으로 행해지지 않았거든.

중세 사회는 수도원에서 지식인을 탄생시켰지만 그 숫자는 소수에 불과했어.

우리의 이야기를 이해하는 사람들이 몇이나 될까?

중세 도시에 대학이 있었으나 혜택받는 소수만이 교육을 받을 기회가 있었지.

그러나 자본주의 사회는 기존의 교육 제도를 근본적으로 변화시켜 일반 시민이 재능만 있으면 교육받을 수 있는 제도를 만들었어.

소 팔아서 가는 거니 열심히 하거라!
네 아부지!

그리고 이것을 국가의 정부가 주도했지.

그러나 지식인의 증대는
동시에 다음과 같은 결과를
초래했어.
우르르…
"와"
지식인

첫째, 대학의 교육이 대규모로
이루어지면서 전문적 지식인을
양산하게 되었고,
대학
대학
대학

이런 지식인의 증가는 화이트칼라
계층의 서비스를 증대시켰어.

둘째, 모든 사람이 자신이 원하는 직업을
얻을 수 없게 되었어.
1
10

결국 지식인이 자신들이 원하는 보수를 받고 일할 수 없는 환경이
만들어졌지.
기업
월급 받아
가거라!
"와"
"와"
"와"

학위가 더 높아도 같은 보수를 받는 경우가 비일비재했거든.
난 대학원도
나왔는데 월급은
같네….
흔들
흔들
와~
술 먹자!
"와"
"와"
뭐 할까?

법대에 진학했다고 해서 모두가 다
변호사가 될 수는 없잖아.
고시 합격자 명단
4수째-
으아
또 떨어졌다.
으앙-

그들 중에 상당수는 자신이 원하지 않는 일을
할 수밖에 없을 거야.

그런 사람들은 자신이 현재 하는 일에 만족하기가
어렵고 늘 불만을 품을 가능성이 높지.
집을 칠하랬지
누가 낙서하래!
당신 해고야!!
예술을
몰라!
쳇

결국 실업 중에 있는 사람,
나도 배울 만큼 배운 지식인이라구!
뭐 해 먹고 사나~
딸꾹
딸꾹

현재 자신의 일에 만족하지 못하는 사람,
페인트칠 다시 할까?
아니 그럴 순 없어. 만족 못해! 예술가면 모를까!
딸꾹
딸꾹

그리고 실업의 가능성을 가지고 있는 사람들이
그래.
결심했어.
벌떡

불만족스러운 직업을 가지거나 다른 전문 분야로 직업을 얻게 될 거야.
예술가로 나서야지!
쓱
척

이런 사람들은 지식인 군을 형성하여 사회의 다양한 방면으로 진출할 거야.
지식인
만화가
회사원
사업가
화가
기술자
판사
의사
변호사

그러나 불만이 가득한 채 각자의 일을 하게 되면서 불만이 더 쌓여, 결국엔 분개하는 단계에 이르게 되고
이걸 그림이라고 그린 거야?
뻥
미술관

그 결과 자본주의에 적대적인 세력으로 성장하게 될 거야.
왜 날 인정하지 않는 거야!
퍽
자본주의

노동 운동을 예로 들면
이 과정을 더 잘 알 수 있지.
?
?
?

자본주의의 발전이 노동 운동을 탄생시켰다고 볼 수 있으니까.
아이고
우리 아기~
응앙

여러 사업장에서 노동자들은 임금 인상이나 기타 다른 복지 향상을 위해 회사 측에 대항하여
시위도 하고 파업도 벌여.
파업
투쟁
물러가라
와아
와
와아
와아

이 노동 운동은
원래 지식 계급이
만든 게 아니야.
아!

게다가 노동자들은 지식인들의 참여를 원하지도 않았는데
지식인들이 이 운동에 참견하기 시작했지.
뭐야!
파업
내가 도와줄게.
지식인
엥.
누가 도와
달랬나?
뭐야
쟨?
투쟁

지식인들은 노동 운동을 지지하는 이론이나 슬로건을 만들면서
노동 운동이 모든 사회의 관심거리가 되도록 만들었어.
짜잔
우리는 마지막까지
의지를 굽히지 않겠다
와아
최고다!
이래도 내 도움이
필요 없어?
와
와
와

그렇게 지식인들은 노동 운동에
참여하게 되지.
와아
와
노동 운동
노동
노동운동
노동운동
노동

슘페터는 더 나아가 지식인들이 자본주의 국가의 공공 정책조차도 자본주의에 적대적인 것이 되도록 하는 데 중요한 역할을 한다고 보고 있어.

슘페터는 지식인들이 전문적으로 정치에 관여하는 경우는 드물지만 간접적으로 정치에 관여하여 자본주의 사회의 공공 정책을 지배한다고 보았어.

지식인들은 정당이나 국회 등에서 참모로 일하면서 정치에 영향을 미치는 경향이 있어.

그리고 정당의 책자나 연설의 원고를 쓰기도 하고, 비서나 고문으로 활동하면서 자신들이 자문하는 정치인이나 장관이 신문에서 인기를 얻을 수 있도록 만들지.

언론을 통한 이런 인기는 아무도 무시할 수 없어.

이런 방법으로 지식인들은 모든 것에 대해 자신의 생각을 반영시키고 있는 셈이지.

끝으로 지식인들의 영향은 정부에 대해서도 직접적이라고 볼 수 있어.

유럽 관료주의의 기원을 살펴볼까?

유럽의 정부 관료들은 군주와 국민의 재산을 관리하는 사람이라고 할 수 있었어.

관료들의 선발 과정만 보더라도 지식인들과 같은 교육을 받은 사람들이 주로 관료가 되었지.

따라서 관료들은 지식인들의 주장을 거부하기보다는 그대로 받아들이기 쉬운 집단이었어.

뿐만 아니라 현대처럼 정부의 공공 관리 영역이 확대되는 경우에도 필요한 추가 인원은 대다수 지식 계급으로부터 충원되고 있어.

슘페터는 자본주의가 외부 세력에 의해 위협을 받을 뿐 아니라, 내부적 요인에 의해서도 붕괴된다고 보았어.

내적 요인 중 하나는 '재산이라는 실체가 붕괴하는 것' 이야.

슘페터는 현대적인 주식회사의 경우 주주들이 더 이상 자신들의 재산을 지키기 위해 피눈물 나는 투쟁을 하지 않는다고 보았어.

그리고 바로 그것이 자본주의의 활동 범위를 좁히고 궁극적으로 그 근본까지 말살하게 된다고 보았지.

더 중요한 내적 요인으로 슘페터는 자본가 계급에서 일어나는 가정에 대한 전통 개념의 붕괴를 꼽았어.

의식적이든 무의식적이든 경제학자들은 가정에 의해 사람들의 이윤 추구 동기가 형성된다고 보았으며

아내와 자식을 위해 일하고 저축하려는 사람들의 행위를 분석했던 것이지.

결국 자본가들에게서 이런 가정에 대한 개념이 퇴색되면서 가정이 아닌 다른 일에 집중하고 다른 방식으로 행동하는 경제인이 등장하게 되었고

결혼 귀찮아, 안 그래?

헤헤

맞아! 결혼은 무슨 즐기며 살아!

결혼하면 바보!

하하하

키득 키득

이것들이 자본주의를 내부로부터 붕괴시키는 요인이 된 거지.

난 빨리 장가가야지.

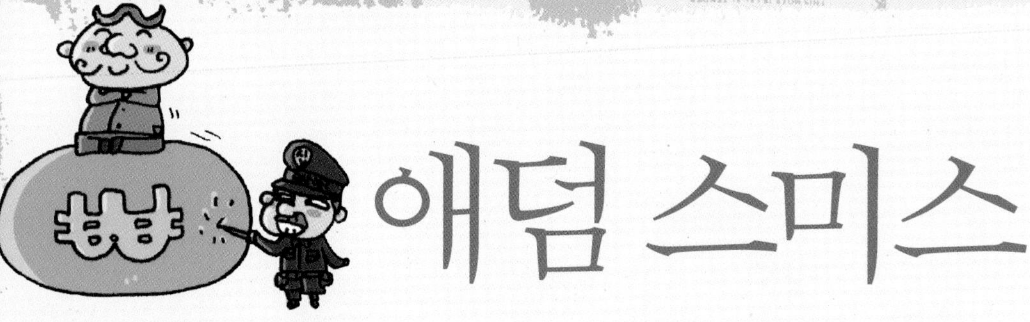

애덤 스미스

▲ 애덤 스미스

애덤 스미스(Adam Smith)는 1723년 스코틀랜드의 커콜디에서 태어난 고전 경제학의 창시자입니다. 스미스가 태어날 당시 커콜디는 북해 무역의 중심지로서 탄공업, 정비소 등 당시의 산업이 매우 발달한 곳이었습니다. 그는 1737년 글래스고 대학교에 진학했고 졸업 후에는 스넬 장학생으로 선발되어 옥스퍼드 대학교에서 공부했습니다. 그리고 옥스퍼드를 졸업한 후 1751년부터는 글래스고 대학교의 논리학 강좌 교수로 부임하게 되었지요.

글래스고 대학교 교수 시절 스미스는 1759년 처음으로 《도덕 감정론》을 출판했는데, 그는 이 책으로 전 유럽에서 이름을 떨치게 되었습니다. 스미스의 강의실은 날마다 북새통을 이루었고, 학생들뿐 아니라 청강생들까지 구름떼처럼 모여들었다고 합니다.

이후 스미스의 관심은 법학과 경제학으로 확장되면서 정치 경제학으로 발전되어 갔습니다. 그리고 1763년 스미스는 유럽 대륙으로 여행을 가면서 견문을 넓힐 수 있는 기회를 얻었습니다. 이 기간 동안 스미스는 당대의 최고 지식인이었던 달랑베르, 디드로 등을 만났고, 스위스에서 볼테르와 루소 등과도 친분을 가졌습니다. 그러나 무엇보다도 프랑수아 케네와의 만남은 스미스에게 가장 큰 영향을 미쳤습니다. 의사 출신인 케네는 중농주의 학파의 경제학자로서 사회를 하나의 유기체로 보았지요. 케네는 인간이 노동을 이용하여 식량과 원료를 획득하고 이를 가공하여 만든 제품을 유통시킴으로써 사회라는 유기체가 성장, 발전한다고 보았습니다. 또한 사회는 지주, 노동자, 상공업자의 세 가지 계급으로 구성되고, 혈액이 사람들 몸에 여러 가지 양분을 전달해 주듯이 화폐가 세 가지 계급 간에 순환하며 생산물을 전달해 준다고 보았습니다.

▲ 프랑수아 케네

케네의 이런 사상은 스미스에게 큰 영향을 주게 되었고, 1766년 고향 커콜디로 돌아온 후 10년 동안 스미스는 《국부론》을 집필하게 됩니다. 스미스는 《국부론》에서 인간의 이기심을 경제 활동의 동기로 보고, 국가의 간섭이 없다면 인간들은 자연적으로 분업 구조를 이루어 각 개인은 사회가 필요로 하는 물건을 생산해서 자신의 이익을 최대한 극대화시키게 된다고 주장하고 있습니다. '보이지 않는 손'에 의해 개인의 이익은 사회의 이익과 조화를 이루게 된다는 것입니다. 《국부론》은 출판되자마자 큰 반향을 일으켰으며, 스미스는 이 책으로 당대 최고의 권위자로 인정받았을 뿐 아니라 많은 사람들에게 존경을 받게 되었습니다.

1784년 스미스는 모교인 글래스고 대학교의 총장으로 선출되면서 인생의 정점을 맞이합니다. 그러다가 어머니가 돌아가신 후 1790년 7월, 그도 세상을 떠납니다. 그는 평생을 홀어머니와 함께 독신으로 살았답니다.

– 《서울대 선정 인문고전 50선 12 애덤 스미스 국부론》 참조.

제5장
사회주의는 잘 작동할 수 있을까?
중앙당국
사회주의
자본주의
출발

사회주의는 잘 작동할 수 있을까?
on
off

슘페터는 그렇다고 보았어.
팟
탁

그러나 슘페터는 사회주의가 작동하기 위해 두 가지 전제 조건을 충족시켜야 한다고 주장하고 있어.
두 가지?

우선 사회주의에 필요한 산업 발전 단계에 도달해야 한다는 것.
오메~ 추운 것!
휘이잉
휘이잉
산업발전 단계

둘째, 과도기의 여러 문제가 해결되어야 한다는 것이야.
흥!
과도기로가는길

사회주의가 작동할 수 있는가를 생각하기 전에, 슘페터가 정의하는 '자본주의'와 '사회주의'란 무엇인가를 먼저 살펴볼 필요가 있어.
자본주의
하이!
자, 여러분께 소개하죠.
슘페터
자본주의와 사회주의입니다.
사회주의
안녕!
와~
와아

슘페터가 말하는 자본주의는 생산 수단이 사유 재산으로 되어 있고,
○○ 회사
내 회사야. 멋지지?
들어가 볼까?
자본주의

개인의 창의성에 의해 생산 과정이 정해져 있어.
모두 내가 개발한 자동화 기기야.
자본주의
치지지
위잉

그리고 은행은 신용으로 기업가들에게 자금을 제공하지.
당신 회사 신용도를 믿고 자금을 대겠소!
땡큐.
자본주의
대출

예를 들어 보면 자본주의 사회인 우리나라에서 어떤 기업이 휴대폰을 만들 때
이번 신제품은 이 모델로 하겠습니다.
SAMSUNG

그 기업은 스스로 공장을 짓고, 사람들을 고용하고, 휴대폰을 생산해.
SAMSUNG
오늘부터 신제품 만들겠다.
응~
앗싸 취업 성공.
와
와

어떤 제품을 생산할지, 얼마나 생산할지 그리고 어떤 기술을 이용하여 생산할지를 결정하는 것도 기업이 독자적으로 결정하고,
SAMSUNG
흥!
내가 갈 길을 내가 정한다구~

생산 이후에 시장에 제품을 파는 문제도 기업이 결정할 거야.
백… 백만 원 비싸다.
헤~
뜨아
너무하네.
₩1,000,000

기업은 생산된 휴대폰을 시장에 내놓고 각종 마케팅 방법을 동원하여 휴대폰을 선전하게 될 거야.

그리고 소비자들이 가장 잘 받아들일 만한 가격을 제시하겠지.

이때 소비자들은 가격이 비싸다고 생각하면 다른 회사의 휴대폰을 구매하게 될 거고, 이것이 결국 휴대폰 가격을 떨어뜨리게 할 거야.

반대로 휴대폰 가격이 싸다고 생각하면 더 많은 사람들이 그 기업의 휴대폰을 구매하게 되어, 결국 가격을 상승시키게 되지.

이에 반해 사회주의란 '생산 수단에 대한 지배권과 생산 과정에 대한 지배권이 중앙 당국에 속해 있는 제도적 유형'이라고 정의하고 있어.

달리 말하면 생산 수단의 통제, 생산 품목과 생산 방법의 결정, 생산물의 분배 등이 개인 소유 기업에 의해 결정되는 것이 아니라

바로 중앙 정부가 결정하는 사회라는 거지.

사회주의 경제하에서 휴대폰을 생산하기 위해서는 공장을 짓고, 사람을 고용하고, 얼마나 생산할지와 어떻게 생산할지에 대한 결정을 내리고 그리고 어떻게 소비자들에게 판매할지를 모두 중앙 당국이 결정하게 된다는 거야.

결국 자본주의 사회에서는 생산, 교환, 분배, 소비가 총체적으로 연결된 과정인 반면에, 사회주의에서는 이 관계가 서로 분리되어 있다고 볼 수 있어.

하나로 연결~
전부 따로 따로~
생산
교환
자본주의
분배
소비
사회주의

왜 그러냐고? 잘 봐! 돈을 가진 자본가는 기계, 원료 등의 생산 수단을 구입하고, 노동자들을 고용하여 상품을 생산하잖아.

그 생산물을 팔아서 자본가들은 투자한 돈에 이윤을 더 붙여서 회수하게 되는 거야.

그리고 노동자들은 자신이 노동한 만큼의 대가를 자본가로부터 받아서 생활하게 되지.

반면에 사회주의 경제에서는 중앙 당국이 생산 수단을 공급하기 때문에 생산 수단의 시장 가치가 존재하지 않아.

가자.
안녕~
날 두고 가지 말아~.

자본주의에서와 같은 자동적인 분배 작용이 사회주의에서는 일어나지 않게 돼.

결국 생산과 분배가 중앙 당국의 정치적인 결정으로 일어날 수밖에 없지.

사회주의 사회에서의 분배는 어떻게 일어날까?

사회주의는 '평등'을 최우선으로 고려하는 제도야.

그러니 모두에게 평등하게 나누어 줄 만큼 생산할 거야.

분재 또한 일정 기간 사회에서 생산된 총생산물을 소비자의 수로 나누는 방법으로 이루어질 거야.

그리고 그것에 맞게 중앙 당국에서 생산량을 결정하여 생산이 되겠지.

텔레비전이 필요한 소비자가 2,000명이라면 그에 맞추어서 2,000대를 생산하게 되는 거야.

중앙 당국은 그것을 분배하기 위해서 쿠폰의 일종인 바우처(voucher)를 사용하게 되는데
펑
바우처
바우처?
그리고 이걸 나눠 주도록 해요~.

바우처는 일정한 소비자에 대한 사람들의 청구권을 표현하는 것으로,
이게 뭔가요?
물건을 살 수 있는 '청구권' 입니다.
바우처
중앙당국

그 크기는 일정 기간 총생산물을 사회의 청구권자 수로 나눈 것과 같아.
총생산물
팔랑

난 바우처 많다~.
아무도 안 줄 거야.
나도 바우처 많이 갖고 싶다.
와~ 부자다.
와
멋지다

모든 바우처는 일정 기간이 지나면 가치가 사라지게 되어 있어.
엥!
이게 뭐야~
휴지는 쓰레기통에~

중앙 당국이 각종 상품에 임의로 가격을 정하면
10 바우처
20 바우처

소비자들은 그 가격을 감안하여 자신들에게 주어진 바우처를 사용하게 된다는 거야.
음.
어느 걸로 살까?

이렇게 하면 시장을 통하지 않더라도 분배의 문제를 해결할 수가 있는 거지.
그녀가 좋아하면 좋겠다.
구두

결국 중앙 당국이 생산 수단의 가격을 제시하고 소비자가 수요를 표시하게 되면 '무엇을, 얼마만큼, 어떤 방식으로 생산할 것인가'에 대한 기본적 문제는 해결이 되는 거야.

중앙당국
소비자
기본적 문제 해결.
가격
수요

이 문제에 대해 슘페터는 중앙 당국에 의한 운영이 더 합리적이라고 주장하고 있어.
흥!
중앙당국
퍽
시장
에구
와우
소비자
중앙당국 승리!

사회주의 관리자가 직면하는 문제는 자본주의 경영자가 직면하는 문제와 같지만, 해결하는 것 역시 가능하고 오히려 자본주의보다 훨씬 쉽다고 간주했지.
왜 사회주의가 더 쉽다는 거예요?
요 아래를 보렴.

기업을 경영하는 사람들이 직면하는 가장 큰 문제는 모든 결정을 둘러싼 불확실성일 거야.
이런! 어딜 가나 전부 의문투성이.

그런 불확실한 요인 중 대표적인 것은 시장에 경쟁자들이 너무 많다는 것과
허걱
빠글
빠글
웅성 웅성
준비~

산업 정세가 어떻게 흘러갈지 알기 어렵다는 것!
으악 난 어디로 가는 걸까?
콰아

예를 들어 라면을 만드는 회사는 현재도 많고
앞으로도 더 증가할 가능성이 있잖아.
라면
라면
라면
라면
라면
라면
와~

이런 상태에서 라면 회사의 사장은 현재의 경쟁자들과
미래의 경쟁자들 때문에 늘 긴장하고 살아야만 할 거야.
부글부글
끙~
어떻게 하면
경쟁자들을
물리칠 수
있을까?

또한 시장의 상황은 언제나 고정된 것이
아니라 변하고 있어.
아하
컵에다
먹는 라면!!

그렇게 변하는 시장과 경쟁자들
사이에서 살아남아야 하는 거지.
신제품
뜨거운물에
3분이면OK
맛라면

그러한 과정이
이 맛있는 라면을
만들어 낸 거로군요?
고럼

미국의 주요 자동차 회사인 포드, GM 등은 일본 자동차와 유럽의
자동차들이 미국으로 수입되면서 미국 시장에 대한 지배권을 점점
더 상실하고 있잖아.
오~
오지 맛!
곤니치와
으아아….
Ford
GM
NISSAN

이처럼 자본주의하에서 시장은
그 불확실성이 매우 높아.
시장
흔들
흔들
자본주의
슥
슥

물론 사회주의 경제하에서도 불확실성은 존재하지만 적어도 자본주의 경제하의 불확실성은 사회주의 경제에는 없는 거야.

모든 것을 중앙 당국이 통제하기 때문이지.

사회주의 사회의 공장 관리자들은 다른 동료가 무엇을 하고 있는가를 정확하게 알 수 있어.

중앙 당국은 정보를 교환하거나 결정 사항을 조정하는 역할을 하게 될 거야.

자본주의에선 서로 경쟁해야 하는 입장이지.

하지만 중앙 당국이 통제하는 사회주의에서는 서로 협력하여 불확실성을 없애려고 노력해.

슘페터는 이런 예측 가능한 일들은, 자본주의의 무차별적 경쟁 속에서 어떤 기업을 조정하기 위해 필요한 노력보다는 훨씬 적은 노력으로도 가능하다고 주장하고 있어.

그러면 포괄적으로 자본주의와 사회주의를 비교해 볼 때 어느 것이 더 우수한 제도일까?
음….
자본주의
사회주의

이 문제에 대해 슘페터는 다음과 같은 이유로 사회주의가 더 우수한 제도라고 주장해.
턱-
자본주의
사회주의

첫째, 자본주의 경제는 끝없는 운동과 반운동이 필요하고
작년에 내비게이션이 엄청 팔렸대요!
그래?

많은 중요한 결정이 불확실성 아래서 내려지는 데 반해
작년에 많이 팔렸지만 금년에도 팔릴까?

사회주의에서는 이런 불확실성이 존재하지 않지.
우린 2,000개만 만들자.
네.
자본주의
사회주의

이런 이유로 사회주의 경제는 적은 손실로 희망하는 경제적 목표에 달성할 수 있어.
필요하신 분 다 받으셨죠?
네!
사회주의

쉽게 설명하면, 길을 찾아갈 때
최단 거리 검색!
와아!

불확실성이 없다면 목적지까지 훨씬 빠르고 편하게 갈 수 있는 것과 마찬가지야.
부우웅
목표

둘째, 자본주의 경제는 여러 가지 경기 변동 때문에 실업을 동반할 수밖에 없어.
왜 그러십니까?
흑흑

불확실한 경쟁 속에서 기존의 기업이 도산할 수도 있고
4,000개 만들었더니 반밖에 안 팔렸어….

이것은 그 기업에서 일하던 종업원들의 실업을 가져오지.
부도
이제 뭐 해서 먹고살지….
흑흑

허구한 날 방 안에서 뭐 해욧! 취업 안 해요?
벌컥

누군 일 안 하고 싶어 안 해? 일하고 싶어도 일자리가 없다구!
벌떡
앙~
어~ 미안!

그래. A사를 목표로 입사 준비하자!
A사

질끈
활활…
필승 취업

A사 불황으로 도산….
좌악

반면 사회주의 사회에서는 불황이 배제되기 때문에 실업이 줄어들 거야.
열심
바쁘다 바빠
열심

실업이 발생하는 경우에도 중앙 당국이 실업자를 다른 일에 재배치시킬 수 있으니 별 문제 없지.
실업 걱정 끝~
중앙당국
부도
새회사

셋째, 사회주의 계획의
또 다른 이점은 무엇일까?
?

자본주의 질서에서는, 개선이 원칙적으로 개개의 기업에 의해 이루어져.
백열
전구보다 더
나은데?

그리고 그것이 전 사회에 보급되는 데는 많은 시간이 걸리게 되지.
어르신,
형광등이 전기가
더 절약돼요.
흐릿 흐릿

게다가 새로운 변화에는 늘 저항하는 세력들이 있는데,
켜면 바로
켜져야지!
깜박 깜박
당장돌려놔!
쿡

그 세력들 때문에 변화는 종종 벽에 부딪히게 돼.
깜박이는 것만
빼면 오래가고 밝고
좋은데~.

반면에 사회주의
질서를 볼까?
네.

사회주의에선 모든 개선이 이론적으로 법령에 의해 즉각적으로 이루어질 수 있어.
괜찮은걸?
중앙당국

그래서 저항에 부딪히지도 않아.
형광등이 전기가 더
절약되니 이걸 쓰세요!
중앙당국
네
네
네

저항할 게 없으니 서로 협력하여 일을 처리할 수 있지.
좀 더 개선된
신제품을
개발했어요.
중앙당국
굿!

그렇게 되면 서로 힘을 낭비할 필요도 없게 되는 거야.
신제품 나왔습니다.
모두 써봅시다~.
중앙당국
와우
네
네

비효율적인 시행착오도 없앨 수 있지.
팟
와~
밝다!

넷째, 사회주의 경제의 우수성은 중앙 당국이 많은 것을 계획하기 때문에 사적 영역과 공적 영역의 충돌이 없어.

자본주의 사회에서는 훨씬 넓은 사적 영역이 존재해.

동네 구멍가게부터 큰 회사에 이르기까지 우리 주변의 수많은 가게들과 기업들이 모든 활동을 스스로 결정해서 하게 되는 거야.

이런 상태에서 국가가 개인의 경제 활동에 간섭하게 되는 것은 부정적으로 간주되어 왔어.

더 나아가 국가와 개인 간의 관계에 마찰이 일어나기도 하고 서로 적대적 관계에 놓이기도 했는데, 이것은 불필요한 비용을 발생시키기도 했어.

이런 문제는 국가가 기업이나 가계에 세금을 징수하는 것에서 가장 잘 나타나.

기업이나 가계가 가장 싫어하는 것은 세금일 거야.

가능하면 국가에 적은 세금을 내려고 노력하는 것은 동서고금을 막론하고 같다고 볼 수 있어.

그래서 영국 속담에는 이런 말이 있어. '세금을 내기 싫어하는 두 종류의 사람이 있는데, 그것은 남자와 여자이다.'

국가는 기업이나 가계로부터 더 많은 세금을 걷기 위해 거대한 행정 기구를 만들고, 기업이나 가계는 이를 방어하려고 하면서 양자 간에는 잦은 분쟁이 발생해.

이 경우 국가와 기업은 각각 자신의 입장을
변호해 줄 변호사가 필요할 거야.
와!
와아
와!
와!
국가
기업

쌍방이 변호사를 고용하는 경우 많은 비용을 지불할
수밖에 없는데
퍽!
국가
기업

그래도 이 비용은 사소한
것에 불과해.
윽
퍽! 퍽!
국가
기업

더 중요한 것은 우수한 인력 중의 하나인 변호사들이 이런 비생산적인 일에
시간과 정력을 낭비하게 된다는 거야.
이게… 뭐 하는
짓이여~.
그러게나
말이야~.
에구에구
죽겠다
헉
헉
국가
기업

그러나 사회주의 사회에서는 중앙 당국이 모든 국가의 수입원을 통제하므로
이 같은 마찰이나 낭비가 존재하지 않는다고 슘페터는 말했어.
중앙 당국
빽빽빽
부우웅
사회 주의

강철왕 카네기

▲ 카네기는 두 가지 모습을 가지고 있는데 하나는 '강철왕'이고, 다른 하나는 '자선 사업가'이다.

앤드루 카네기(Andrew Carnegie)는 1835년 11월 스코틀랜드에서 태어났습니다. 1848년 가족과 함께 미국의 피츠버그로 이민 온 그는 어려서부터 전보 배달원, 전신 기사 등 여러 직업에 종사하다가, 1853년 펜실베이니아 철도 회사에 취직하면서 재산을 모으기 시작했습니다. 특히 침대차 회사에 투자하여 큰 이익을 보았고 그 외 운송 회사, 석유 회사 등에 투자해서 큰돈을 벌었습니다.

1865년 카네기는 철강 수요가 급격히 증가할 것이라는 예측을 하고 독자적인 철강 회사를 설립하면서 막대한 재산을 모으기 시작했습니다. 우선 그는 철로를 위한 철강을 가장 싸고 효율적으로 생산했고, 모든 연료의 공급을 수직적으로 통합하는 혁신을 통하여 철강 산업에서 크게 성공을 거두었습니다. 1892년에는 여러 개의 회사를 합병하여 카네기 철강 회사를 설립했는데, 이 회사의 생산량은 당시 미국 철강 생산의 4분의 1을 차지할 정도였답니다.

1901년 카네기는 은행가인 모건(John Pierpont Morgan)과 공동으로 합작 주식회사를 만들어, 비용은 줄이고 소비자 가격은 낮추며 임금은 인상시키는 새로운 형태의

US 스틸사를 설립했습니다. 이 회사는 미국 철강 시장의 65퍼센트를 지배하는 회사로 당시 세계 최초로 시장 가치가 10억 달러가 넘는 회사였습니다.

▲ 카네기의 기부로 지어진 카네기 멜론 대학 전경

회사 합병 후 카네기는 남은 삶을 자선 사업가로 보냈습니다. 그는 사회적 문제와 부자의 사회적 책임에 관한 견해를 《승리의 민주주의(Triumphant Democracy)》와 《부의 복음(The gospel of Wealth)》을 통해 피력했고, 교육 사업과 문화 사업에도 몰두했습니다. 그가 벌인 자선 사업 중에는 미국, 영국, 아일랜드, 오스트레일리아 등 영어권 국가 공공 도서관을 설립하는 일도 있었답니다.

제6장 사회주의로 이행하는 방법은 무엇인가?

1913년에 미국의 산업 구조는 독일보다 훨씬 성숙한 상태였어.

그러나 슘페터는 이 양국에 사회주의로의 이행을 위한 실험을 실시해 본다면, 독일이 더 성공할 가능성이 높을 거라고 했어.

왜냐하면 독일은 미국에 비해 훨씬 우수한 관료 조직을 가지고 있고 뛰어난 노동조합이 국민들의 삶을 지도하고 있었기 때문이야.

미국에 비해 자본주의 성숙 단계는 뒤처져 있지만, 독일 사람들은 미국 사람들보다 더 진정으로 사회주의를 원하고 있었다는 얘기지.

결국 자본주의 사회의 성숙 정도와 사회주의를 추진하려는 세력들에 의해 사회주의로의 이행 방법이 결정돼.

슘페터는 사회주의가 자본주의의
어떤 조건하에서 탄생하는가에 따라
큰 차이를 보일 수밖에 없다고 보았고,
부글 부글
잠잠…
자본주의
자본주의
조건
조건

이것을 성숙 상태(state of maturity)와
미성숙 상태(state of immaturity)로
나누었어.
와~
맛있겠다.
이게
뭐야. 생라면
이야….

그 대표적인 나라를
소개해 볼까?
좋아요.

성숙 상태의 대표적인 나라로 영국을,
미성숙 상태의 대표적인 나라로
소련을 들 수 있어.

1) 성숙 상태에서의 사회화

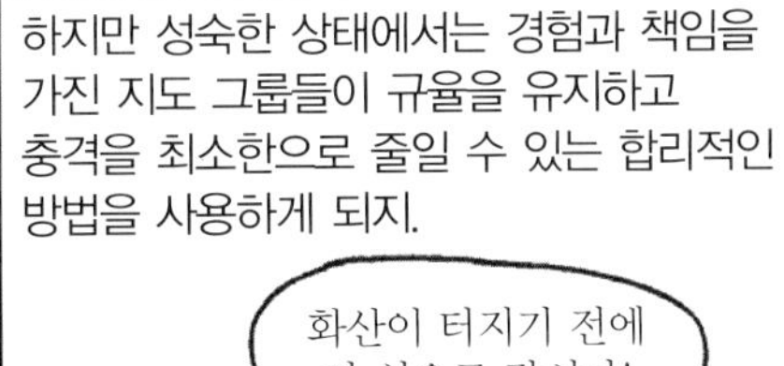

그리고 또한 사회주의로 이행한다 해도 농민들은 그대로 남겨지게 될 거야.
엥?

왜냐하면 농민들만큼 자신의 소유권에 관심이 많은 사람들은 없을 테니까.
너 누구얏! 내 눈에 흙이 들어가기 전까진 안 돼!
사회주의
진정하시길
척

만약 농민의 재산을 사회화한다면 그들로부터 엄청난 저항에 부딪히게 될 거야.
내 피 같은 땅 아무도 못 줘!
저…기.
사회주의

마찬가지로 소규모 상공업 역시 보호를 받게 될 거야.
사회주의
개인기업

소규모 수동업자들 역시 당분간 이윤을 목적으로 하는 자신들의 일이 허용되고, 자기 상품을 파는 것도 가능할 거야.
세일
세일
싸다 싸~
사회주의 기념 특가 판매

한편 경제 운행의 심각한 장애를 피하기 위해서 전문 경영인들의 개인적 이익 역시 보장을 받을 수 있을 거야.
사회주의는
개인 이익을 보장합니다.
사회주의
와~
와아

빨리 사회주의로 넘어가려면 그냥 모두 빼앗아 다시 평등하게 나눠 주면 되잖아요?

과하면 넘친다는 말이 있어.
찌릿

오늘 너무 빨리 뛰다가 넘어졌지?
아이쿠!

사회주의적 평등주의의 이상을 지나치게 주장하는 것은 모든 것을 망치게 할 수 있어.
헤헤

자본가들의 이익은 어떻게 될까?

사회주의 제도하에서는 개인의 재산을 보상 없이 몰수하는 것에 관심이 있겠지.

그러나 성숙한 자본주의에서는, 주식이나 채권을 소유자들의 이익으로 인정할 수 있어.

그리고 이 사람들은 선거권자들이야.

우리나라의 경우를 봐도 대다수 국민들이 주식이나 채권을 소유하고 있잖아.

따라서 아무리 작은 것이라도 이들의 재산을 개인적으로 몰수하려는 어떤 제안에 호감을 갖는 사람들은 거의 없을 거야.

슘페터는 이에 대해 재산을 몰수해야 할 경제적 필요성이 전혀 없다고 했어.

또한 비록 재산을 몰수하는 결정을 하더라도, 그것은 어디까지나 사회 공동체의 자유로운 선택에 따라 결정해야 한다고 했지.

결국 성숙한 상태에서 사회는 문화적 · 경제적 가치의 손상 없이 견실하고 안전하며 그리고 서서히 사회주의로 이행될 거야.

대규모 기업의 경영자들도 특별하게 교체되어야 할 이유가 있는 경우에만 교체가 된다고 슘페터는 말해.

은행은 모두 중앙은행의 지점으로 변형될 것이지만 여전히 산업 관리에 대한 권한은 유지하지.

그래서 신용을 승인하거나 거부하는 것 같은 권력은 그대로 지니게 돼.

따라서 중앙은행은 전반적인 감독자로 남아 있게 될 거야.

중앙 당국이 초기에는 서서히 나아가면서 급격한 변동을 피해 지배권을 확립함에 따라 새로운 사회주의 체제는 이행에 필요한 사소한 문제들을 해결해 가면서 안정적으로 자리를 잡아 갈 거야.

2) 미성숙 상태에서의 사회화

미성숙 상태에서 이루어지는 사회화는 성숙 상태의 사회화와 같은 예측을 전혀 할 수가 없어.
길이 어디지?

이런 경우는 물질이나 정신적인 준비가 없는 상태에서 사회주의로 이행하는 것이라고 볼 수 있지.
물을 좀 더 가져올걸!
헥헥
이글 이글

이 상황은 매우 미숙해서 성공할 가능성이 전혀 없어.
커억!

권력을 탈취하려는 모든 시도는
와아
와

오로지 폭동을 통해서만 가능해.
와
와
와
으악 무서워

이렇게 껄끄럽고 폭력적인 과정을 거쳐서 사회주의로 이행하게 되지.
사회주의
와
사회주의로 갑시다!
와

이러한 사회화는 어떻게 진행될까? 이제부터 잘 설명해 줄게.
사회주의
네.

이런 상태를 가장 잘 나타내는 사례로 러시아의 볼셰비키 혁명을 꼽을 수 있어.

혁명에 경도된 대중은 중앙 관청이나 비사회주의 정당 및 비사회주의 신문 등을 탈취하고 거기에 자신들이 자리를 잡게 돼.

이 새로운 중앙 당국이 해야 할 일은 무얼까?

최우선으로 혁명에 반항하는 세력을 진압하는 일일 거야.

중앙 당국에 반항하는 사람들은 어떻게 해야 할까?

과거의 질서를 고수하려는 무리들과 자신들과 다른 새로운 좌파를 형성하려는 반대자들을 진압하기 위한 군대가 필요할 거야.

이런 상황에서 대화로 해결할 수는 없는 노릇이니까.

이 군대는 또한 각 공장의 노동자가 관리자들을 추방하고 공장을 자기들 수중에 넣으려는 '난폭한 사회화'를 막기 위해서도 꼭 필요했지.

혁명을 일으킨 다음에 그 혼란스런 상황을 빨리 정리해야 다음 단계로 넘어갈 수 있거든.

사회주의 혁명 직후에 중앙 당국이 해야 할 일은 무엇일까?

첫 번째 할 일은 인플레이션을 일으키는 거야.
와

인플레이션이오?
푸하

그래. 인플레이션에 대한 설명은 앞에서 했지?
기억나요.

화폐를 많이 찍어 내서 돈의 가치가 떨어지는 거지요?
빵 × 1 =

그래, 잘 알고 있구나.
근데 왜 인플레이션을 일으켜야 하지요?
짝
짝

인플레이션은 그 자체로 과도기적인 어려움을 완화하고 불공평한 수탈을 수행하는 뛰어난 수단이 될 수 있다.
탁

인플레이션?
과도기적 어려움?
불공평한 수탈?

음~ 좀 어려운가? 더 쉽게 설명해 줄게.
흥! 당연한 거 아녜요?

자, 언제나처럼 쉬운 예를 들어 볼까?
하하
진작 좀 쉽게 하지.
칫!

사회주의 혁명 직후 사회 혼란기에
사람들은 월급이 폭락하는 것을
받아들일 수가 없었어.
허걱
월급
쏙

임금의 폭락을 일시적으로 막기
위해서는 어떻게 해야 할까?
임금폭락
파직
중앙당국

돈을 더 많이 주는 게 가장
쉬운 방법이겠지.
자네
월급일세~.
와우
수북

따라서 중앙은행은 화폐를 많이 발행해 시장에 공급했어.
받아요
받아.
중앙당국
와-돈이다
와
와
와

물론 이것은 단기에만 효과가 있는
방법이야.
빵
헉

앞에서 설명한 것처럼 돈의 가치가 너무 하락해
버린 채로 오래 있으면 효과가 사라지게 되니까.
허걱
빵
인상

하지만 혁명 직후에는 사회주의로 가는 기틀을 마련하기 위해
이런 방법을 써서라도 중앙 정부가 사회를 잘 통제할 수
있도록 해야 해.
이 방법에
효과적이야.
중앙당국
사회주의
인플레이션

사회주의 정부가 개인 공장이나 가게를 국유화하기
위해서는 보상이 필요하잖아.
No.
자, 여기.
정부
정부
정부
정부
정부

이때 정부가 돈을 무한정 발행한다면 필요한
보상금을 줄 수 있겠지.
헤~성공~
정부
정부
와우
뽁
폴짝

또한 인플레이션은 많은 돈을 가진 사람들을 수탈하는 좋은 방법이야.

많은 돈을 발행하면 돈의 가치가 떨어지게 되고

그 결과 돈 많은 사람들의 자산 가치가 폭락하게 될 테니까.

러시아 사회주의 혁명을 성공시킨 레닌도 인플레이션에 대해 이렇게 말했어.

자본주의 사회를 파괴시키려면 화폐를 혼란시키는 것이 가장 빠른 방법이야.

다음으로 할 일은 사회화를 수행하는 것이야.

정치적 혁명에 의해 사회주의 체제가 확립된 이후에는 어떤 과도기적 정책이 실행될까?

혁명으로 인한 급격한 변화와 중앙 정부의 인플레이션으로 돈의 가치가 하락하게 된 사회는 매우 혼란스러울 거야.

결국 무질서하고 혼란한 혁명 정부 아래 존재하는 개인적 기업들은 기능을 정지하지 않을 수 없겠지.

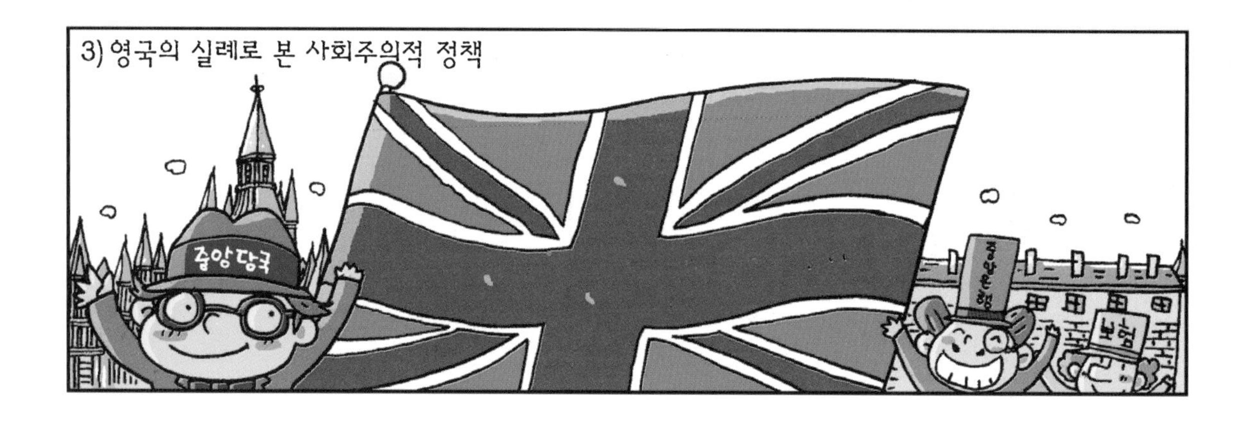
3) 영국의 실례로 본 사회주의적 정책
중앙당국
중앙은행
보험

영국의 산업 구조는 사회화를
성공시키기에 아직 성숙한 단계는
아니었어.
알이다.

영국에는 아직 활력 있는 '개인주의'가
남아 있어서 사회주의를 거부할 힘이
있었거든.
흥
헉
팽
개인주의
사회주의

그러나 슘페터는 영국에서는
대체로 기업가의 노력이 눈에
띄게 줄어들고 있다고 보았어.
애개~
기업가

국가에 의한 통제나 관리를 모든 정당이 요구하고
있는 점도 주목할 만하다고 보았지.
국가에 의한 통제, 관리 요구
정당
정당
정당
정당

사회화라는 것은 국가가 통제하고 관리하는 제도라고
볼 수가 있거든.
이제는 내가
맡는다.
중앙당국
퍽
켁
국가에 의한 통제, 관리 요구

또한 영국에서는 자본주의가 이미 많은 과업을 완수했고, 영국의 노동자는
잘 조직되어 있고 책임 있게 관리되고 있어.
관료
노동자
노동자
노동자
노동자

또한 관료들은 문화적 · 도덕적 수준이 높고 경험이 풍부해서 국가 활동 영역이 확대되더라도 충분히 잘 관리해 갈 수 있지.

슘페터가 말하는 성숙 상태에서의 사회화가 이루어질 조건을 많이 갖추고 있다고 볼 수 있지.

이런 면에서, 영국은 앞에서 본 미성숙 상태에서의 사회화와는 다른 면을 많이 보이고 있어.

미성숙 상태의 사회화에선 어쩔 수 없이 주요 산업 활동의 능률이 저하돼.

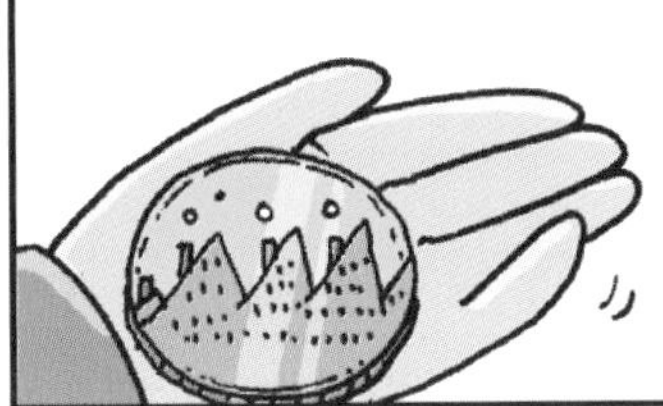

하지만 영국에서는 주요 산업 활동이 능률의 저하를 가져오지 않고서도 사회화가 가능하다고 슘페터는 말했어.

그 이유로 첫째, 영국의 은행 조직은 사회화되는 데 충분할 만큼 성숙되어 있어.

중앙은행은 거의 재무성의 한 부분에 불과할 정도지.

이는 중앙은행이 정부의 통제를 잘 받는다는 뜻이야.

이것은 사회주의 사회에서 기대될 수 있는 종속 관계라고 할 수 있어.

일반 시중 상업 은행들도 중앙은행에 흡수 합병되어 국가 은행관리위원회에 소속될 수 있을 거라고 슘페터는 생각했어.

둘째, 영국에서는 보험 산업이 오랫동안
국유화 후보 산업이었어.
이거 붙이면
인기 짱!
된다니까.
에~
거짓말
보험
산업
중앙 정부
국유화

우리나라에도
국민 건강보험이나
국민연금이 있지?
네.

국민이 안정적으로 살아야
나라도 안정적이 될 테니까.
튼튼
국민
나라

영국은 그때까지 국유화를 위한 진전도 상당히 있었어.
속는 셈치고
함 붙여 볼까?
보험
산업
국유화

사회주의자들은 보험 산업을 국가가 통제할 여지가
생긴 데 대해 매우 기뻐하겠지.
와-
보험
산업
정말
이잖아.
와-아
최-고
와
와아
국유화

셋째, 철도나 자동차 운송 같은
산업 역시 국유화가 되는 데 큰
문제가 없을 거라고 슘페터는
예상했어.
국유화
빠앙

우리나라도 국철, 고속도로는 나라가
관리하잖아.
자본주의
빠앙
부웅

운송 산업은 자본주의에서도
효율적으로 관리할 수 있는
영역으로 입증된 거나 마찬가지라고
볼 수 있지.
자본주의
사회주의

이렇게 내륙 수송 산업은 국가가 가장 성공적으로 관리할 수 있는 영역이야.

넷째, 광산 특히 탄광의 국유화, 석탄이나 타르 제품 등의 국유화는 즉각적으로 효율의 증가를 가져올 것이고,

만약 노동 문제가 만족스럽게 해결된다면 큰 성공을 보일 거라고 슘페터는 보았어.

오히려 기업 간의 경쟁으로 쓸데없는 낭비를 줄일 수 있다고도 했지.

기술적이고 상업적 관점에서 그 경우는 결과가 매우 명백해.

다섯째, 영국은 발전, 송전, 배전의 국유화가 이미 실질적으로 완성이 된 상태였어.

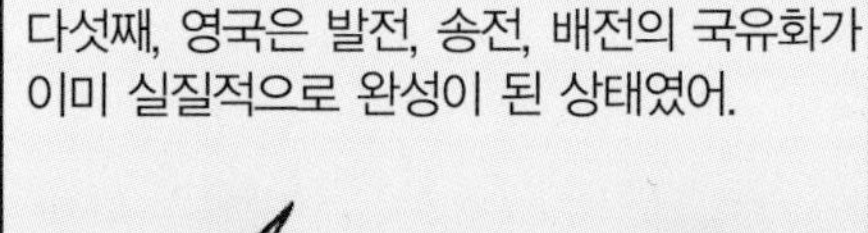
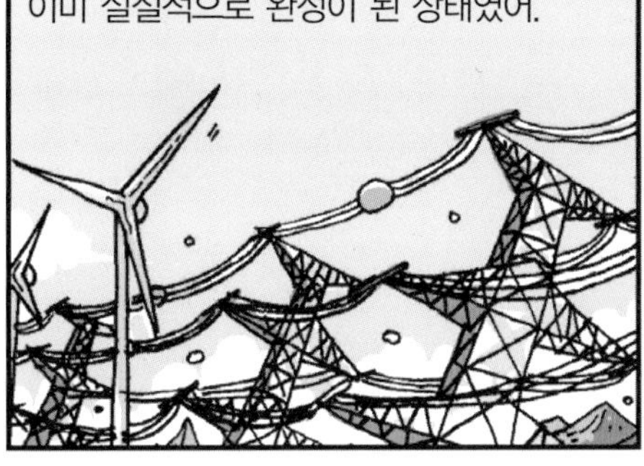

전기는 국가적으로 매우 중요한 사안이야.

전기가 끊겨 버린다면 산업적으로 크나큰 문제가 생기겠지. 거의 모든 산업들이 멈춰 버릴 테니까.

핵발전소의 방사능이 유출되면 국가적으로 엄청난 손실을 부를 수도 있어.

이러한 시설의 국유화는 매우 중요한 문제라고 볼 수 있지.

여섯째, 철강과 철강 산업의 국유화는 다른 어떤 분야보다 논란거리가 되는 분야라고 할 수 있는데,
덥다
으쌰

이 산업은 영국에서 기업가적 열정으로 급성장하던 상태가 지나갔다고 볼 수 있었고,
오-
안정기에 접어들었단다.
슈우웅
수익률

따라서 철강 산업은 거대한 연구 부분을 포함하여 잘 관리될 수 있는 상태가 되었다고 슘페터는 생각했어.
지이이잉
난! 튼튼하다구!

국유화는 좋은 결과를 가져다 줄 거야.
저도 튼튼하다구요~

일곱째, 건축 및 건축 자재 산업도 적절한 공공 기관에 의해 성공적으로 운영될 수 있을 거라고 보았어.

건축 산업의 많은 부분들이 이미 규제되고 통제를 받고 있지.
헉헉
허걱
삐뽀삐뽀

이런 규제와 통제는 건설사의 지나친 경쟁으로 인한 사회의 손실을 막기 위한 거야.
엥
정지
엥
중앙당국

이런 건축 및 건축 자재 사업이 국유화된다면 어떨까?
이제 같은 편이야.
하하
히히
중앙당국

사회화로 인한 손실을 능가하는 효율성을 보이게 될 거야.
와

물론 이상의 산업들이 사회화가 가능한 전부는 아니야.

그 외의 산업들도 많이 있어.

이외에도 군수 산업, 기간산업, 영화, 조선, 음식물의 거래 등과 같은 것들이 사회화될 가능성이 있는 산업들이야.

하지만 이외의 산업들은 국유화를 하면 손실을 보게 되는 산업일까?

그렇지 않아.

중앙 정부의 주도 아래 치밀하고 유연하게 국유화를 시키면 더 좋은 방향으로 갈 수가 있지.

"펑"
+ 플러스 성장
국유화로 변신!

또한 슘페터는 토지의 국유화, 즉 토지의 사용료 등을 국가에 이전할 것을 강조한다면, 영국 국민들은 굳이 이에 대해 이의를 제기하지 않을 거라고 주장하고 있어.

레닌

▲ 레닌

레닌의 본명은 블라디미르 일리치 울리아노프(Vladimir Ilich Ulyanov)입니다. 그는 1870년 4월 22일 볼가 강 연안에서 태어났어요. 볼셰비키 공산주의 혁명가로서 10월 혁명을 주도하고 초대 소비에트 공화국의 수장이 된 그는 1922년 뇌일혈 발작 후 1924년 1월 사망할 때까지 러시아 혁명 운동의 중심인물로 살았습니다.

레닌은 자신의 형인 알렉산드르가 황제 알렉산드르 3세의 암살 계획에 참여하면서 처형을 당하자 혁명에 눈을 뜨기 시작했습니다. 레닌이 마르크스주의에 관심을 가지기 시작하면서 그는 학생 저항 운동에 가담하여 체포되거나 추방되는 일을 반복하며 살았지요.

레닌은 1892년 상트페테르부르크 대학교 법학과를 졸업한 후 잠시 변호사로 활동하다가 곧 혁명 운동에 참여했고, 1900년부터는 망명 생활을 시작했습니다. 망명 기간 동안 그는 주로 스위스에 머물면서 유럽의 공산주의 운동과 러시아의 혁명에 관여했지요.

제1차 세계 대전 중인 1917년 3월 러시아에서 황제 니콜라이 2세를 무너뜨리는 혁명이 발생하게 되고 케렌스키 임시 정부가 들어서자 레닌은 러시아로 귀국하게 되었습니다. 그러나 3월 혁명 후 등장한 케렌스키 정부는 국민이 원하는 정치 · 경제 개혁을 추진하지 않고 독일과의 전쟁을 중단하지 않았습니다. 결국 국민의 대다수를 차지하는 노동자와 농민의 삶을 비참한 상태로 떨어뜨리게 되었지요.

레닌과 볼셰비키 세력이 케렌스키 정부에 대한 무조건적인 저항을 선언하자, 케렌스키 정부는 레닌을 체포하려 했습니다. 결국 레닌은 핀란드로 망명을 떠났지요. 핀란드에 있는 동안 레닌은 《국가와 혁명》이라는 책을 써서 노동자 위원회, 즉 소비에트에 기반을 둔 새로운 정부의 설립을 구상했습니다. 마침내 노동자와 농민의 연합으로 구성된 세력들이 10월 무장 혁명을 일으켜 케렌스키 정부를 무너뜨리고 소비에트에 모든 권력을 이양하는 혁명에 성공하게 되었습니다.

▲ 공산주의 사회의 해체와 함께 철거되는 레닌 동상.

10월 혁명의 성공으로 레닌은 러시아 소비에트 위원회에 의해 인민 위원회의 의장으로 선출되었습니다. 의장이 된 레닌은 독일과의 전쟁을 중단시키지 않고는 어떤 평화도 어떤 개혁도 성공할 수 없다고 보았습니다. 결국 1918년 3월 소비에트는 독일과 평화 조약을 체결하게 된답니다. 그러나 강화 조약 과정에서 레닌이 서부의 많은 영토를 독일에게 양보하게 되고, 이것이 사회주의 혁명 세력 내부로부터 많은 반대를 가져오게 되어 이들이 볼셰비키 정부를 전복시키려는 시도를 하게 됩니다. 결국 반혁명 세력으로부터 새로 확립된 볼셰비키 정부를 보호하기 위해, 레닌과 그의 정부는 반대 세력을 탄압하게 되었습니다. 레닌의 정부는 국가 경찰인 체카(Cheka)를 창설하여 모든 언론을 통제하였고, 볼셰비키에 반대하는 어떤 사회주의자, 노동자, 농민들이라도 탄압의 대상이 되었습니다. 이로써 레닌은 자신의 주도하에 공산당 이외의 다른 정당의 설립은 허가하지 않는 1당 독제 체제를 확립하였고, 소련이 세계 공산당 운동을 주도하는 기반을 확립하였습니다.

슘페터는 사회주의와 민주주의의 관계를 언급하면서 새로운 민주주의 이론을 전개하고 있어.

어떤 이론일지 궁금하지 않아?

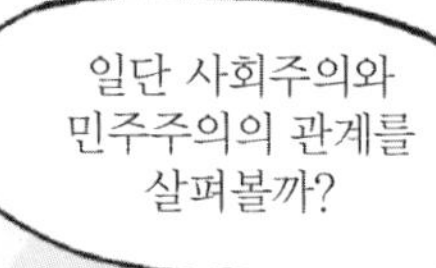

슘페터에 따르면 사회주의자들은 민주주의의 위세를 빌려 사회주의의 가치를 높여.

그는 사회주의와 민주주의는 불가분의 관계에 있다고 주장해.

사회주의자들의 이론에 따르면, 상품을 만드는 생산 수단을 개인이 소유하게 되면 그 생산 수단을 소유한 사람이 노동자들을 착취하게 된다는 거야.
빨리 빨리 일 안 하면….
월급 깎는다!

좀 더 쉽게 설명해 볼까?
짜-잔
까꿍!

전통적인 산업을 한번 예로 들어 볼게.
공장주
에헴
사업이나 해 볼까나….

옷을 만드는 공장의 주인은 자신이 주인이므로 많은 노동자들을 고용할 수 있어.
자자
일할 사람 구합니다!
저요
저요
와
저요
저요

고용한 노동자들로 자신의 공장에서 옷을 만들어 내겠지.

공장에서 많은 이윤을 내려면 어떻게 해야 할까?
으하하
공장주

옷을 많이 만들어서 사람들에게 팔아 그 돈으로 공장을 더 키워서….

장기적으로 보면 그렇지만 단기적으로는 노동자들에게 임금을 적게 주는 것이 가장 빠른 방법일 거야.
돈이 얼마 없어서….
공장주

결국 노동자들은 공장 주인에게 착취를 당하게 되겠지.
점점 줄어드는군….
점점 커져 가는군!
공장주
킥킥
배고파

사회주의자들은 이처럼 생산 수단을 개인이 소유하기 때문에 노동자들의 착취가 일어난다고 보았어.
넉넉하게 준비했지?
옙~

더 나아가서 이런 공장주들은 자본가 계급들과 연합하여 정치인들에게 영향을 미치지.
어이구, 국회의원님 안녕하십니까?
음…

그래서 국회나 정부가 자기들에게 유리한 법과 정책을 만들어 집행하게 한다고 보았어.
제 작은 성의입니다. 잘 좀 봐 주십시오.
뭐 이런 걸 다~
으하하
슥
스윽

뉴스를 보면 정치인들의 비리나 기업의 비리가 많이 나오잖아?
특종이다.
찰칵 찰칵

우리나라도 이런 문제점을 피해갈 수 없는 거지.
비리 공직자.
안녕하십니까 KBC방송….

결국 사회주의자들은 이런 권력이 존재하는 한 민주주의는 있을 수 없고
흥!
이런 것 필요 없어.
권력자
툭
민주
주의

정치적 민주주의라고 하는 것은 가짜라고 보았어.
너도 민주주의냐!
아뇨. 이름만 민주주의인데요….
민주

이런 권력을 제거하는 것이 비민주적인 '인간에 의한 인간의 착취'를 없애고 민주적인 '인민에 의한 지배'를 가져온다고 보았지.
삐뽀 삐뽀
와 와 와
협박 혐의로 체포하겠습니다.
쳇
권력자
경찰
휴~ 살았다.

아마 그들은 민주주의보다 다른 것을 높이 평가하고 있기 때문일 거야.

?
민주주의
사회주의

첫째로 소련의 경우를 보면,
팔랑
소련

소수의 유일 정당에 의해 지배되고 다른 정당에 대해서는 아무런 기회도 주지 않는 위대한 사회주의 국가가 현존하고 있어.
내가 지배한다.
지배당
우린 기회조차 없구나!
맞아.
에휴~

사회주의 정당의 대의원들은 정상적인 토론 과정 없이 만장일치로 의안을 통과시키기도 하고,

볼셰비키 당은 레닌-스탈린 당에 무조건 헌신을 맹세한다거나,
음
충성

위대한 스탈린의 천재적 지도하에 새로운 발전 단계로 돌입했다는 식의 주장을 펼치고 있지.
와
와
스탈린 만세
만세

이런 문구나 구호 등은 노골적으로 비민주적인 것이라고 할 수 있어.
비민주적
팍!
오-

그런데도 러시아가 민주 국가인가요?

여기를 좀 보렴.
소련

이렇게 비민주적인 방법을 쓰면서도 소련을 사회주의 원리로 통치되는국가였어.
소련
민주적 사회주의 국가.

소련의 사회주의자들은 자기들의 이상을 실현하는 데 도움이 되는경우에만 민주주의의 이름을 빌리는 경우라고 볼 수가 있지.
나 민주주의야!
놀이 공원
매표직원
민주주의
민주주의 공짜!!
이벤트
사회주의

둘째로 민주적 신념을
지속적으로 지지해 온 사회주의
집단들의 경우를 살펴볼까?

대다수 영국의 사회주의자들, 벨기에, 네덜란드, 스웨덴 같은 나라의
사회주의 정당들은 시종일관 사회주의 이상을 민주적 방법으로
실현하려고 하고 있어.
다다다다…
민주주의
민주주의
민주주
민주주의
민주주의
민주주의
민주주의
민주주의
민주주의
민주주의
민주주의
민

이들 나라의 사회주의자들은 비민주적이거나 폭력적인 사회주의 운동을 거부하고 민주적 방식을 추진함으써
생성된 정치적 결과들에 크게 만족하고 있지.
야호!
드디어
완성.
사회주의
와
다다다…

셋째는 1918년 독일 사회
민주당의 경우인데,
팔랑
독일
사회 민주당

당시 사회 민주당은 공산주의를
잔인하리만큼 탄압해.
크흐흐흐…
공산주의
사회주의
사회주의

이것은 결국 많은 당원들의 탈당을
가져왔지.
에잇~
무서워서 못 해
먹겠다.
다다다다
사회민주당

그래서 사회당은 극심하게 분열돼.
쩌저적
사회 민주 당

당시 사람들이 당에 남아 있었던 이유는 민주주의 원칙에 동의했기
때문일까?
사회민주당
음…
음…
음…

아니야. 당시는 공산주의의 혁명적 방법이 성공을 거둘 가능성이 희박했기 때문이었어.
왜 동의하셨습니까?
그야 당연한 거 아냐!
KKS

민주주의 원칙에 동의했기 때문은 아니라는 이야기지.
살아 남으려고 그랬지~.
쓸데없는 도박은 안 하거든 헤헤….
역시
그 눈빛은 뭐냐…

그리고 당에 남아 있었던 사람들은 정권에 참여함으로써 많은 관직을 나누어 가질 수 있었어.
관직
으하하
와
와-아
와
정권

그렇게 관직을 나누어 가져서 자기들 정권을 유지한 것이지.
휴~ 요즘 취직도 어려운데.
관직

그들은 단지 관청의 안락의자에 의젓하게 자리 잡고 앉아 있었던 거야.
이만한 직업도 없지!
관직
흔들 흔들

이 사람들이 안일한 생활을 추구한다고 비난할 필요는 없어.
게으름뱅이…
그래?
관직
흔들흔들

안락함을 추구하는 것은 모든 인간들이 가진 속성이니까.
그럼 너도 일찍 일어나.
쳇! 그건 다른 문제고요.
히히

그러나 이들의 경우를 보고 사회주의자들이 민주적 방법에 대해 확고한 충성을 보였다고 주장하기는 어려울 거야.
충성
이렇게 하면….
혹시 휴가 보내 줄지 몰라….
아… 깜짝….

마지막으로 오스트리아의 경우는 사회주의와 민주주의의 관계가 역설적으로 나타나는 경우야.
팔랑
독일
오스트리아

1918~1919년 초기, 오스트리아의 사회주의자들은 민주주의에 집착하는 경향이 있었어.
공평하게 투표로 나눠 먹자!
찬성!
와

그러나 자신들이 권력을 독점할 가능성이 보이자,
나누기 아까워졌어.
와~ 우리도 먹을 수 있다.

그들은 완전히 태도를 바꾸어 민주주의의 다수결 원리가 '산술의 장난'이고 물신 숭배일 뿐이라고 주장하게 돼.
숫자는 숫자일 뿐!
앙-
악!
안 — 돼
투표는...

더구나 소련의 공산주의 노선인 볼셰비즘이 헝가리를 장악하게 되자
파다다다..
휙
볼셰비즘
헝가린 이제 내 손 안에 있소이다.
소련
헝가리

오스트리아의 사회주의자들은 소련의 볼셰비즘을 채택하는 것에 반대하지 않게 되지.
볼셰비즘
어라! 오스트리아까지….
헤헤…
소련
착지
오스트리아
헝가리

오스트리아 사회주의자들은 필요하다면 전원이 볼셰비즘을 따라갈 것이라는 입장을 보였던 거야.

오스트리아 같은 작은 나라의 정세나 당의 위기 상황 등을 고려하면 이것은 합리적인 평가라고 볼 수가 있어.

합리적인 평가지만 뭔가 빠진 게 있는 거 같지? 그게 뭘까?

그래. 바로 민주적 원칙이야.

민주적 원칙에 대한 열렬한 충성은 어디에서도 찾아볼 수 없었다고 슘페터는 지적했지.

역사를 살펴보면 사회주의자들은 민주주의가 자신들의
이상이나 이익에 도움이 되는 경우에만 민주주의와 제휴하고
사회주의자
민주주의

그렇지 않을 때는 민주주의를 외면하는
사회주의가 비일비재해.
"슥
자… "잠깐"
사회주의자
민주주의

하지만 반면에 민주적
사회주의가 있을 수도 있어.
민주적
사회주의

어떤 것이든지
사회주의자들은 민주주의를
필요에 따라 이용한 거야.
달면 삼키고
쓰면 뱉는다는군요.

그러면 사회주의자들은 자신의
이익만을 위해 움직이는 걸까?
이익
핑그르르…

그렇다고 해도 사회주의자들만 특별히
더 기회주의적인 사람들이라고 보기는 어려울 거야.
탁
앗!" 내공

모든 사람들이 자신이나 자신이 속한 단체의 이익에
도움이 되는 것을 따라
움직이는 경향이 있거든.
훅!
슛
내공 줘요!

다만 여기서 우리는 무엇이 민주주의인가에 대한 논의를 진지하게 시작할 수는 있겠지.
"안돼."
골인
촤-악
텅

루소의 일반의지

일반 의지는 장자크 루소(Jean Jacques Rousseau) 철학의 중심에 있는 것으로, 루소의 국가론에 나타나는 중심 개념이라고 할 수 있습니다. 일반 의지란 다수의 의지가 아니며, 스스로 생명을 가지는 실체로서 정치 유기체의 의지라고 간주됩니다. 어떤 의미에서 일반 의지는 개인이나 개인의 연합체의 유익을 뛰어넘는 지혜로움이나 선함을 의미하고, 일반 의지에 의해 사회는 협력하고 통합된다고 볼 수 있습니다.

▲ 《사회계약론》을 들고 있는 루소

따라서 루소는 일반 의지는 모든 사람들의 복종을 요구한다고 믿었습니다. 루소가 생각하기에 일반 의지는 공동체가 지향하는 유일한 목표이며, 모든 선과 정의의 힘이 된다고 보았기 때문이지요. 루소는 일반 의지가 독립적이고 주권적이며 흠이 없고 침해받지 않는다고 생각했습니다.

이런 루소의 사상을 따라가면, 결국 모든 힘과 권리는 전체 공동체의 통제 아래 있게 되고 어느 누구도 사회 구성원 전원의 동의 없이는 어떤 것도 할 수 없음을 의미하게 됩니다. 그런 보편적인 의존성은 개인이 독립적으로 무엇을 이룰 수 있는 가능성을 배제하는 것이지요. 뿐만 아니라 개인이 죽음이나 굶주림을 피해 어떤 사회에 가입할 때는, 다른 사람을 위해 희생할 준비가 되어 있어야 한다는 의미이기도 하고요.

루소의 국가론에 따르면 모든 권력은 중앙 당국에 이양되고 주요한 결정은 국민투표를 통해서 이루어집니다. 루소는 입법자들은 법을 제안할 수는 있어도 결정할 수는 없다고 보았습니다. 사법부와 행정부를 포함하는 정부는 법을 해석하거나 집행할 재량권을 부여 받았고, 입법부는 이런 관료 조직 위에 존재한다는 게 루소가 주장한 국가의 원칙이었습니다.

이런 루소의 일반 의지는 유기적 국가 개념과 연관이 있는 것으로 개인은 전체의 한 부분으로 개인의 가치, 생각, 목표는 아무 의미가 없는 것이었습니다. 즉 인간 그 자체를 목적으로 간주하는 것이 아니라 보다 더 높은 목적을 위한 하나의 수단으로 간주하고 있는 것입니다. 인간이 어떤 목적을 달성하기 위한 수단으로 전락할 때, 루소의 일반 의지는 마르크스주의나 히틀러의 전체주의와 연관성을 가질 수밖에 없습니다. 루소의 일반 의지를 추종했던 통치자들이 드러냈던 기만적인 휴머니즘이 그 단적인 예입니다. 그들은 인간을 사랑한다고 부르짖으면서, 일반 의지에 반대하는 사람들을 무참하게 짓밟았습니다. 프랑스 혁명 당시의 로베스피에르 같은 사람들은 엄청난 권력을 가지고 일반 의지를 주창했지만, 자신의 정치적 의지를 일반 의지로 간주하는 과오를 저지르기도 했습니다.

제8장

고전적 민주주의와 슘페터의 민주주의

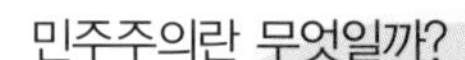

민주주의란 무엇일까?

슘페터는 우선 고전적인 민주주의 이론을 비판하면서 자신의 새로운 민주주의 이론을 주장하고 있어.

슘페터는 민주주의의 핵심이 '정치적 지도력의 획득'에 있다고 보았어.

자, 그러면 슘페터가 왜 고전적 민주주의 이론을 비판하는지,

그리고 슘페터의 새로운 민주주의의 이론은 무엇인지 알아볼까?

그 국민 대표들의 연합체를 바로 의회라고 해.

모든 사람들이 동의하는 '공동의 선'
이라는 간단한 정의로 합리적으로
인식될 수 있지.
음..

이 '공동의 선'은 모든 문제에
명확한 해답을 줄 수 있어.
왜 이러세요.
으호호흐...

따라서 모든 정책을 공동의 선에
비추면 '좋은 것'과 '나쁜 것'으로
쉽게 분류될 수 있지.
나쁜 놈!
휙!
와!
스마일맨!

결국 이론상으로 모든 국민들은 의견의
일치를 볼 수 있고,
스마일맨이다~

따라서 모든 국민들이 동의하는 '공동의 의지(Common Will)'도
존재하게 되겠지.
휙~
스마일맨
고마워요~
스마일맨 짱!
와아
와!
와~ 스마일맨

모든 사람들이 동의하는 '공동의 선'이 있는 상태에서
개개 시민이 직접 결정을 내리는 경우는 국민 투표 같은
중대한 결정에 국한될 거야.
기표소
공동의 선

분업이 이루어진 사회에서 모든 문제에 대해
모든 시민이 관여해야 한다면 매우 번거로울 뿐만
아니라, 가능하지도 않을 테니까.
매일 매일
투표라니!
아~ 바쁜데.
아~
짱나~

따라서 세부적인 일들은 자신들이
선정한 위원회에 맡기는 것이
훨씬 더 편할 거야.

위임받은 위원들은 국민을
대표하여 일을 처리하지.
저희가
대신해 드려요!

이것은 마치 의사가 환자를 치료하듯이
국민의 뜻을 받든 전문가들이 공공의
일들을 수행해 나가는 거야.

이 경우 위원회는 법률적으로 국민을 대표하는 것이 아니라 기술적인 의미에서 국민을 대표하게 돼.

또한 편의상 이런 위원회는 사회 여러 부분에 더 작은 위원회를 둘 수 있겠지.

이런 전반적인 것을 통괄하는 최고의 위원회를 내각 또는 정부라고 부르고

그 우두머리에 국무총리 혹은 수상이라고 부르는 기관장이 있어.

결국 위원회는 국민의 대표들이 모인 의회에서

이루어진 결정을

전문적으로 실행하는 기관이라고 할 수 있지.

이런 상황에서는 민주주의가 어떻게 국민의 공동의 선을 성취할 수 있을 것인가를 고민하는 것 외에는 아무런 문제가 없을 거야.

더 나아가서 민주적 제도라는 것이 사람들이 생각할 수 있는 최상의 제도이고, 다른 더 나은 대안은 없다고도 주장할 수 있겠지.

첫째, 슘페터는 모든 국민들이 동의할 수 있는
공동의 선이 전혀 존재하지 않는다고 보았어.

예를 들어 미국 국민 중에는 이라크와의 전쟁을 찬성하고 지지하는 사람도 있지만,
용서할 수 없어!
oh- my god!
으악

전쟁을 반대하고 비난하는 사람도 상당수 있잖아.
NO
NO WAR
NO WAR
NO WAR

한국과 미국이 자유 무역 협정을 체결하는 것에 대해서 찬성하는 사람도 있지만
자유 무역 협정

반대하는 사람도 많거든.
결사 반대 FTA
반대
FTA
반대
FTA 반대

그리고 두 진영이 서로 타협하는 것 같지도 않아.
흥!
흥!

오히려 상황이 더욱 악화되는 경우가 많지.
와
와아
퍽!
와!
와-아
휙!
와
휙
경찰
POLICE
퍽

한 회사 내에서 노동조합과 회사 경영진 사이의 의견 차이는 때로는 심각한 갈등을 일으켜.
파지지직
투쟁

그래서 결국은 파업으로 연결되는 경우도 많아.
휘이이잉…
휘잉
파업

둘째, 슘페터는 비록 공동의 선이 존재하고,

또한 그것이 많은 사람들에게 승인을 받을 수 있다 하더라도

그것이 개인의 문제에 명확한 답을 줄 수는 없다고 보았어.

교통 신호를 지키거나 공중도덕을 지키는 것이 모든 사람들에게 유익할 것이라는 데 사람들은 동의할 거야.

그러나 막상 그것을 지키기가 어려운 상황이 오면 사람들은 쉽게 교통 신호나 공중도덕을 어기는 것이 사실이란 말이야.

그래서 앞의 두 가지 가정의 결과로 볼 때 슘페터는 어떻게 생각했을까?

슘페터는 국민의 의지, 혹은 일반 의지(General Will) 등과 같은 개념은 더 이상 존재하기 어려울 거라고 했어.

왜냐하면 이 개념들은 모든 사람들이 식별할 수 있는, 하나로 규정된 공동의 선 개념이 존재한다는 것을 전제 조건으로 하기 때문이야.

공동의 의지(Common Will), 혹은 여론이라는 것은 무엇일까?
어떤 게 맘에 들어?
여론
공동의 의지
음….

슘페터는 공동의 의지, 여론은 개개인이나 단체 등이 놓인 상황,
죽었나?
헉!
두둥!

개인이나 단체가 가지고 있는 의지와 영향력,
걘 어디 아픈가?
내 친군 내가 지킨다. 저리 갓!
죽은 척하자….
휘익

그리고 민주주의 과정의 여러 작용과 반작용 등이 무수히 복잡하게 연결되어 있는 것이라고 했어.

따라서 민주주의의 결과는 명확한 목적이나 이상을 실현하는 것이 아니라고 했지.
휙
여행에 지도는 필요없어!
발길 가는 대로~

민주주의의 결과는 오히려 우연히 도달하는 복잡한 과정의 결과라는 거야.
세상에 이런 곳이 다 있었구나~.
야-호
민주주의

뿐만 아니라 민주주의 아래서 공동의 의지란, 더 이상 어떤 선한 것(good)과 관계가 있는 것은 아니라고 슘페터는 보았어.
다수결이라고 해서 사람들이 무조건 선한 것만 선택하는 것은 아니라는 얘기지.

그러므로 민주적 정부의 형태에 대해 무조건적인 신뢰를 할 수 없다는 결론에 도달하게 돼.
항상 신뢰와 믿음으로 보답하겠습니다.
정부
음…
의심스러워.

그러면 이렇게 사실과 어긋나는 고전적 민주주의 이론이 오늘까지 생존해서 사람들의 마음에 영향력을 행사하는 이유는 뭘까?
민주주의의 사회주의
고전적 민주화
Best
택리지
와-

첫째, 고전적 민주주의 이론은 비록 경험적 분석의 결과로는 지지를 받지 못할지라도
자네!
요즘 같은 시대에 이런 고리타분한 보고서가 웬 말인가!
찰싹
앙!

종교적 신념과 연관됨으로써 지지를 받고 있어.
참신한 보고서를 쓰게 해 주세요. 크~윽!
제발~

18세기 공리적 민주주의를 주장하던 사람들은 종교적이지는 않았어.
도를 아십니까?
안 믿어요!
수상해..

오히려 그 사람들은 신에 대한 믿음보다는 인간 이성에 대한 믿음을 가지고 있었지.
그럼 저라도 믿고 열어 주세요.

그래서 자신들은 당시의 종교적 태도나 운동에 대해 반종교적이라고 믿고 있었어.
꺼져!
쾅!

그러나 다른 시선으로 보면,
슥
우아, 신기하다!
슥

그들이 염두에 둔 사회 과정의 구도는 프로테스탄트 기독교의 신념과 본질적으로 동일하다는 것을 알 수 있어.
공리적 민주주의 신념
=
프로테스탄트 기독교 신념
척
오~

종교를 버린 지식인들은 대신 공리적 민주주의에 대한 신조를 가지게 되었지.
공리적 민주주의 시여!
펑
공리적 민주주의
펑

기독교적 신념을 가진 사람들은 공리주의가 자신들의 신앙을 정치적으로 보완해 주는 것으로 간주하게 되었던 거야.
새로 산 신발.
함 달려 볼까?
짜 ― ― 잔
딱딱
공리
주의

그 결과 공리주의에 기초를 둔 민주주의 신조는 그 성질이 정치적인 것에서 종교적인 것으로 바뀌게 되었지.
와우!
정치
쌔 ― 앵
종교

더 이상 '공동선'이나 '궁극적 가치'에 대한 논리적 망설임이 없어졌어.
부웅
부웅
가뿐 하신
궁극적 가치
공동의 선

그들은 민주주의의 목적이 하나님의 뜻과 일치하고, 모든 과정이 하나님의 계획대로 진행된다고 보았어.
민주주의
와 ―
와 ― 아
와 ― 아
와 ―

이전에 불확실하던 것이 이제는 완전히 명확해지고 납득이 가능해진 거야.
공리 주의
와 ― 아
와 ―
와 ―

예를 들어 백성의 소리가 하나님의 소리가 된 거지.
흠흠…
마이크 테스트.
민주주의
와 ― 아
와 ―

평등의
경우를 볼까?
수평!

평등은 그 의미가 불확실하고 현실적으로 보증을 할 수 없는 것이라고 할 수 있어.
난 우유 먹고
키 클 거야.
난 우유
안 먹었는데….
타고나는 거지.
우유

그러나 기독교 속에는 강력한 평등주의적 요소가 포함되어 있어.
성경

'구세주'는 모든 사람을 위해 죽었으므로 예수 그리스도는 개인의 사회적 신분으로 사람들을 차별하지 않아.
나의 죽음으로
…
모두
평등할지어다.
주여 엉엉

그렇게 함으로써 그리스도의 존재는 어떤 등급도 허용하지 않는 개별 영혼의 가치를 증명하고 있어.
난 축구를
잘해!
응!
난 농구를
잘해!
빙글글

이것은 모든 사람을 한 사람으로 계산하고,
네 건
너답게 많네.
그렇네

어떤 사람도 한 사람 이상으로 계산하지 않는 유일한 승인이라고 할 수 있지 않을까?
제가 먹은 게
많은데 더
비싼가요?
아니요.
1인분으로
계산됩니다.
좋다.

이것은 민주주의 신조에 초현실적인 종교적 의미를 부어 넣는 것으로 다른 곳에서는 발견하기 쉽지 않은 거야.
종교적 의미
민주주의

둘째, 고전적 민주주의는 여러 나라들에서 다수의 사람들에 의해 열렬하게 지지되고,
와-아
와!
와아아..
고전적민주주의
고전적민주주의
고전적민
고전 적
고전적

그 사회의 역사적 발전을 가져왔어.
업그레이드.
사회
역사

그래서 기존 제도에 대한 반대자들은 어떤 형태든 이런 민주적 형태를 수용했고,

그에 따라 반항이 지배적인 수단이 되고 그 수반되는 결과가 만족스럽다면 민주주의는 국가 이념으로 뿌리내리게 되었지.

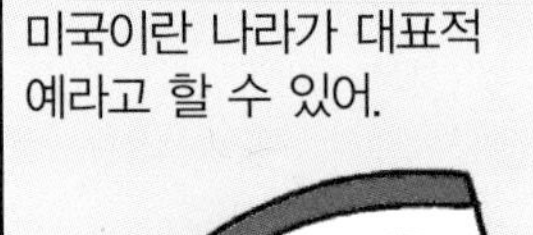

미국이란 나라가 대표적 예라고 할 수 있어.

주권 국가인 미국의 존재는 군주적 · 귀족적 국가인 영국에 대항한 투쟁과 연관되어 있어.

소수의 왕당파를 제외한 미국인들은 영국의 왕을 자신들의 왕으로 간주하지 않았어.

독립 전쟁에서 미국인들은 자신들의 문제를 고전적 민주주의의 원리인 '양도할 수 없는 인간의 권리' 라는 관점에서 '국민과 지배자' 의 문제로 보고, 독립 선언서와 헌법에 이런 원칙들을 채택하게 되었어.

그 후 미국은 대부분의 사람들을 만족시키는 엄청난 성공을 이루었고 그것은 독립 선언서에 명시된 민주적 원리의 우월성을 증명해 주었지.

마지막으로, 고전적 민주주의 이론이 오늘날까지 영향력을 행사하는 네 번째 이유는 정치인들이 그 용어를 즐겨 쓰기 때문이야. 정치인들은 민주주의라는 용어가 대중을 현혹시키고 국민의 이름으로 책임을 회피하거나 적대자를 제압하는 좋은 기회를 제공하기 때문에, 그 문구를 자주 써먹는다는 사실을 명심하기 바란단다.

자자, 이거 쓰면 좋아요….
좋은 건가?
저건 좀 그런데….
앞이 잘 안 보여~
정치인
민주 주의

2) 슘페터의 민주주의

민주주의

슘페터는 이처럼 고전적 민주주의 이론을 비판하면서 또 하나의 민주주의 이론을 주장해.
휙
저로 말씀드리자면 ….
슘페터 민주주의

바로 '정치적 지도력을 장악하기 위한 자유 경쟁'이라는 자신의 민주주의 이론이지.
짜~잔
오~
정치적 지도력을 장악하기 위한 자유 경쟁

고전적 민주주의는 국민이 모든 개별적 문제에 대한 합리적 견해를 가지고 있고,
우리나라를 대표할 정도로 잘 나왔군!
합리적 견해

그 의견을 실행할 대표를 선택함으로써 자신의 영향력을 행사하는 거잖아?
국민
와! 내것이 뽑히다니!
합리적 견해

그렇다면 고전적 민주주의의 근본 목적은 무엇일까?
고전적 민주주의
근본목적

고전적 민주주의의 근본 목적은 정치 문제의 결정권을 선거권을 가진 시민에게 귀속시키는 데 있어.
결정권

이런 근본 목적에 비한다면 대표자 선출은 부차적인 것이라고 볼 수 있지.
보너스~
맛있겠다.
대표자 선출
대표자 선출

그래서 슘페터는 이것을 뒤집어서 국민의 역할은 정부를 만들어 내거나
턱!
국민
정부

또한 국가를 통치할 정부를 만들 중간 단체를 만드는 것이라고 보았어.
국민
끼릭
중간 단체

결국 슘페터에 따르면 민주적 방법이란 정치적 결정에 도달하기 위한 제도적 장치라는 얘기야.
제도적 장치

정치인 개인은 국민들의 표를 얻기 위해 경쟁을 통해 결정력을 얻게 된다는 거지.
와— 와—아
기호1번 정해진 무소속
여러분~
와—아
저를 뽑아 주신다면 이 한 몸 불사르겠습니다~
멋지다!! 기호1번
와
환영합니다. 기호1번
와
최고
기호1번

새로운 이론은 다음과 같은 이유로 민주적 과정 이론을 크게 향상시킨 것이라고 볼 수가 있는데,
캐논 슛
우아~ 축구 많이 늘었네~.

우선 이 이론은 민주주의 정치를 비민주적 정치와 구별하는 효과적인 기준을 제시하고 있어.
공이 안 보이는데….
민주적
너무 세게 찼다….
비민주적

이 정의에 따르면 민주주의를 입증할 수 있는 절차와 방식이란 국민이 스스로 국가를 통치할 정부를 만드는 것에 있다고 보거든.
이 기회에 축구공 사게 빌려간 세뱃돈 돌려주시죠~. 아빠~
윽
설마… 일부러 멀리 찬 건 아니겠지.

따라서 국민의 의사와 상관없이 정부를 구성하고 국민의 의사와 이익에 공헌한다고 주장하는 사례는 확실히 비민주적이라고 할 수 있을 거야.
니 세뱃돈 보태서 냉장고 사 버렸다. 어쩌냐~.
흐흐흐…
으악!
나한테 말도 없이… 비민주!

둘째, 이 이론은 지도력(리더십)이라는 강력한 사실에 대한 인식을 부각시켰어.

고전적 이론에서는 지도력을 무시하고 선거민에게 비현실적인 주도권을 주었지.

하지만 집단은 일반적으로 지도력이란 것을 받아들임으로써 행동을 하게 되잖아. 따라서 한 나라에서는 대통령이 지도력을 가지고 국민들을 주도할 때에 국민들이 행동을 하게 되지.

그러나 고전적 민주주의 이론에서는 이런 지도력의 존재를 거의 무시하고

국민의 자발적인 주도권만을 강조하고 있지. 이는 현실과 동떨어진 것이라고 볼 수 있어.

셋째, 새로운 이론은 진정한 집단적 의지가 있다는 사실을 무시하지는 않아.

일례로 실업으로부터 구제를 받고자 하는 실업자 집단의 의지나

혹은 이런 실업자들을 도와주려는 다른 집단들의 의지는 엄연히 존재하는 집단 의지라고 할 수 있어.

슘페터는 새로운 이론을 통해 집단적 의지가 실제적으로 작동하게 하려고 했어!

집단적 의사는 아무리 강력해도 어떤 정치 지도자들에 의해 생명력이 불어넣어질 때 정치적 요소가 되거든.

그렇지 않으면 몇십 년이라도 잠복해 있을 수밖에 없을 거야.

정치 지도자들이나 그의 대리인들은 집단적 의지를 조직하여 고무시키고 궁극적으로 자신들의 경쟁적 품목 안에 포함시키려 하겠지.

넷째, 이 이론에서는 지도력 경쟁이라는 개념을 명확히 정의하는 것이 필요해.

슘페터는 지도력의 경쟁이라는 개념이 분명하지 않은 만큼, 자신의 이론이 분명하지 않다는 것을 인정하고 있어.

이 개념은 경제학의 경쟁 개념처럼 유사한 어려움을 나타내고 있기 때문에 양자를 비교해 보는 것은 매우 유용해.

경제에서 경쟁은 결코 모자란 것도

완전한 것도 아니지만

확실히 존재하는 것이거든.

잘 보이지는 않지만 그 자리에 엄연히 있는 것. 경쟁은 그런 의미로 이해하면 돼.

마찬가지로 정치에서도 국민의 충성을 획득하기 위한 경쟁은 언제나 존재한다고 볼 수 있어.

지도력을 위한 경쟁은 자유 투표를 위한 자유 경쟁에 국한되어 발생해.

민주주의에서는 모든 사회의 규모와 크고 작음에 관계없이 선거를 통한 경쟁이 유일한 경쟁이라고 할 수 있어.

다섯째, 이 이론은 민주주의와 개인의 자유 사이에 존재하는 관계를 해명하고 있어.

개인의 자유 문제는 어떤 사회에서도 한계가 있는 것 같아.

어떤 사회도 양심이나 언론에 대해 절대적인 자유를 허용할 수는 없고

반대로 어떤 사회도 그 한계를 0으로까지 낮출 수는 없어.

공익을 위해 적당히 선을 유지하면서 개인의 자유를 침해하지 말아야 해.

민주주의에서는 원칙적으로 각 정치인 개인이 스스로 선거민 앞에 나섬으로써

정치적 주도력 획득의 경쟁에 참가하는 자유를 누릴 수 있고

대부분의 경우, 상당한 정도의 토론의 자유를 얻을 수도 있지.

물론 민주주의와 자유의 관계는 절대적인 것은 아니어서 어느 정도 간섭이 있을 수도 있어.

지식인의 관점에서 보면 이것은 정말 중요한 자유가 아닐 수 없어.

여섯째, 슘페터는 선거민의 1차적 기능이 정부를 만드는 것임과 동시에

정부를 쫓아내는 기능도 가져야 한다고 보았어.

이것은 선거민이 정부를 창설함과 동시에 통제하는 것을 의미한다고 할 수 있어.

정부를 통제하는 경우 선거민은 자신들의 정치 지도자들이 재선되는 것을 막거나

의회의 다수당이 되는 것을 막는 것 외에는 다른 통제 수단이 없을 거야.

때때로 정부에 대한 극도의 반감이 일어나서 정부나 개별 각료를 퇴진시키거나

직접적으로 어떤 행동을 강요할 수도 있겠지.

그러나 이런 경우는 지극히 예외적일 뿐 아니라 민주적 방법에도 반하는 것이라고 슘페터는 말했단다.

국민의 의지를 유효하게 반영하기보다는 이를 왜곡시키는 경향이 생길 테니까.

그거 아냐? 지구는 사실 네모나다.

헉

다수결

왜곡

'비례 대표제'를 도입하여 이 문제를 해결하려는 시도가 있어.
얜
비례 대표제야.
비례
대표제
안녕?
당신 정체가
뭔데요?

비례 대표제는 선거민이 투표한 비율만큼
의회에서 의석을 주는 제도야.
스윽

예를 들어 선거민이 10퍼센트의 지지를 보였다면 그 정당이나
집단에게 10퍼센트의 의석을 주는 제도지.
10%
정당
선거민 지지율
비례
대표제
자~
여길 봐.
의석이 100석이면,
10석!!
그렇
구나!
아하

이 제도는 모든 당파에게 자기의
존재를 주장할 기회를 주는
제도라고 할 수 있어.
헤헤…
하하…
호호…

하지만 상황에 따라
안 좋은 점도 많이 있어.
어떤
거요?

유능한 정부를 만드는 것을 방해하고
비상사태에 위험을 가져올 수 있는
단점이 있지.
우리한테
득이 안 돼.
유능한 정부를
만듭시다
우리도 마찬
가지라구

예를 들어 비례 대표제 실시로 의회의 의석을 가진 정당이 열 개가 넘고
어느 정당도 주도력을 가질 수 없는 상태라면
탕
탕-
정숙하시오
정숙!
와글
퍽!
안돼
우당탕탕
반대
으~

그 정부는 어떤 일도 결정하기 어려울
거야.
욱!
제발 정숙!
퍽!
빠직!

이 경우 정부 구성 자체가 큰 어려움을 겪게 되겠지.

결국 민주주의는 경쟁하는 개인이나 집단 중에 더 많은 지지를 받은 사람들에게 정부의 통제권이 주어지는 것이라고 볼 수 있어.

슘페터는 사회주의와 민주주의
사이에 어떤 필연적 관계는 없으며

아

어

볼셰비키 혁명과 소련의 탄생

서유럽이 자유화와 산업화를 겪고 있던 19세기 후반부터 자유화와 산업화의 물결은 전 근대적인 상태에 머물러 있던 러시아에도 전달이 되었습니다. 산업화의 진행으로 노동자들의 수가 늘어나고 사회주의 정당이 새로 생겼으며 의회의 설립을 요구하는 자유주의 운동이 일어났지요. 농촌에서는 계몽 운동이 일어나고 폭력적으로 사회를 뒤엎으려는 마르크스주의자들이 등장하게 되었습니다.

▲ 러시아 혁명 성공 후 군중 앞에서 연설하는 레닌

이런 과정에서 서러시아가 제1차 세계 대전에 개입하자 인민들의 불만은 극에 달하게 되었습니다. 전쟁에서의 거듭된 패전과 물자의 부족에 불만을 품은 노동자와 군인들은 1917년 3월 혁명을 일으키게 되었습니다. 3월 혁명은 로마노프 왕조를 무너트리고 자유주의적인 임시 정부를 수립하게 만들지요.

그러나 3월 혁명으로 자유주의 임시정부의 수반이 된 케렌스키는 국민들을 위한 개혁적인 조치를 취하지 않고 독일과의 전쟁을 지속적으로 추진하면서 국민의 대다수를 구성하는 노동자와 농민의 삶은 비참한 상태에 이르게 되었습니다. 또한 당시 러시아 사회는 교육받은 중산층들, 즉 의사, 변호사, 엔지니어 같은 새로운 화이트칼라 계층이 형성되었는데, 전쟁의 실패로 이들이 깊은 가난에 빠지자, 정부에 대한 불만이 극에 달하게 되었지요. 이런 변화가 볼셰비키가 등장할 수 있는 계기를 마련하게 되었습니다.

▲ 혁명 기념 포스터

1917년 10월 레닌의 지도하에 볼셰비키는 임시 정부에 대항한 무장 혁명만이 전쟁을 중단시키고 러시아의 개혁을 가져올 수 있다고 선언하고, 페트로그라드에서 무장봉기하여 케렌스키 정부를 무너뜨리고 세계 최초의 공산 혁명 정부를 수립하게 되었습니다.

이후 볼셰비키 정부가 취한 정책은 혁명적이었습니다. 우선 독일과는 단독으로 강화조약을 체결하여 제1차 세계 대전을 끝냈습니다. 모든 사유지가 몰수되어 농민과 노동자들에게 재분배되었고, 러시아의 모든 은행이 국유화되었으며, 공장에 대한 통제가 전부 소비에트 정부에 넘겨졌지요. 교회의 재산은 몰수되었고, 개인 은행 역시 몰수되었습니다.

그러나 토지와 산업을 국유화하는 일당 독재 체제가 농민과 노동자들의 반발을 일으키자, 1921년 레닌은 신경제 정책을 발표하여 소규모 개인 기업을 인정하고 농민들이 일정 부분의 생산량을 시장에서 파는 것을 허용하는 완화 정책을 추진하기도 했습니다.

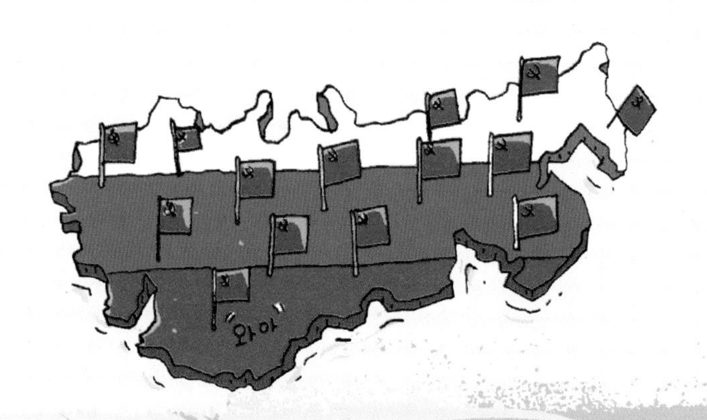

제9장 민주주의의 성공 조건

첫째, 정치인들, 특히 정당 조직에 속한 사람들, 국회의원들, 정부 고위 관료들 등이 높은 자질을 갖추고 있어야 해.

이것은 충분한 능력과 도덕적 품성을 가진 개별 시민이 다수 존재해야 한다는 것 이상의 의미야.

민주주의 방식은 전 국민 중에서 선택하는 것이 아니라,

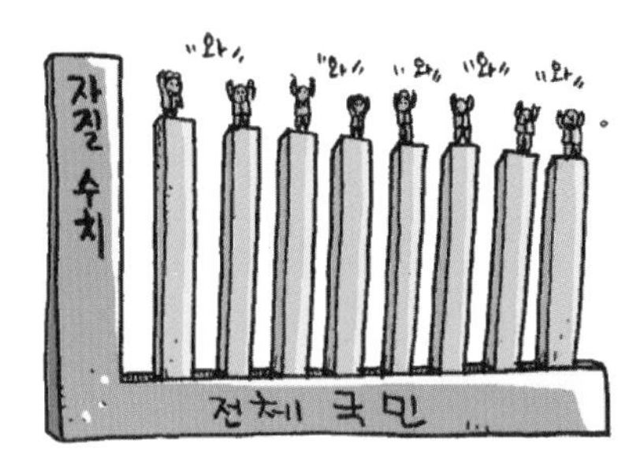

전 국민 중 정치적 직업에 적합성을 가지고 선거에서 당선되기를 원하는 사람들 중에서만 선택하잖아.

따라서 인적 자질의 적합성은 민주적 성공을 위해서는 특별히 중요하다고 슘페터는 강조했어.

높은 자질을 갖춘 사람들이 민주적 정부를 이끌어 갈 때

민주적 정부의 성공 확률이 높아지고,

저기 출구가
와
민주적 정부

그것은 민주주의의 성공으로 이어지게 되겠지.

많은 방법 중에 가장 효율적인 방법은 사람들을 정치 과정으로 이끄는 데 엄격한 선택 과정을 거치는 사회 계층이 존재하는 거야.

그런 계층은 너무 배타적이지 않아야 하고

외부 사람들이 너무 쉽게 접근할 수 있어도 안 돼.

받아들일 건 받아들이고 나쁜 것들은 받아들이지 않는 유연함도 갖춰야 해.

그리고 그 계층은 새로 흡수하는 많은 것들을 동화시킬 충분한 힘을 갖춰야 해.

그렇게 할 때 정치 이외의 분야에서 많은 시련을 성공적으로 통과한 사람들을 정치계로 나서게 할 수 있으며,

그들에게 정치 경험을 들려주거나

정치의 전통을 제공함으로써

정치에 대한 정치 지망생들의 적합성을 높일 수 있을 거야.

이런 조건을 완전하게 충족시키는 나라는 영국이 유일하다고 할 수 있어.

바이마르 시대(1918~1933)의 독일을 보면 왜 이런 조건이 중요한지를 알 수 있어.

그 당시 독일의 정치가들에게 특별히 많은 결점이 있었다고는 볼 수 없어.
정상입니다.

일반적인 국회의원, 수상, 장관들은 정직하고 합리적이고 양심적이었지.

그러나 몇몇 뛰어난 인재들이 있었을 뿐 대부분의 정치인들은 수준 이하였고,
와~아~
인재
.....
수준이하

어떤 경우에는 보잘 것 없는 사람들이었어.

이것은 전체 국가의 능력이나 에너지가 부족했기 때문이라고 볼 수는 없었어.
아빠 기름 없어요!
털털털....

정치를 스스로 천직으로 여기는 사람들로 구성된 계층이나 집단이 존재하지 않았던 거지.
아무리 생각해도….
이건 내 천직이 아닌가 봐.
국회의원석
국회의원석

능력이나 에너지가 정치적 경력으로 연결되지 못했던 거야.
다른 거나….
해야지….
쌩-
텅텅
쌩-
국회의원석
국회의원석

그러나 슘페터의 민주주의 이론에 따르면 반드시 그런 요건을 지켜야 할 필요는 없어.

헤~
헤~
헤~

하지만 의회는 아무리 만능일지라도 그 자신의 권한을 제한한 필요가 있어.

쳇!
와우
와우

의회는 표결에 부쳐진 문제에 대해 순전히 형식적이거나 감독적인 결의 정도로 법을 통과시켜야 할 필요성이 있다는 거야.

슘페터는 이런 필요성을 인정하지 않는다면 민주주의는 법률을 만드는 놀음으로 변하고 말 거라고 했어.

형법을 제정하는 의안이 제출되었다고 가정해 보자.

이 경우에 의원들은 가장 우선적으로 형법 전문가들의 의견을 받아들일 거야.

사실 범죄는 복잡한 현상이야.

그런데 범죄 처리에 관한 입법을 전문 지식이 없는 정부나 의회에 맡기면 범죄에 대한 합리적 처리는커녕 자칫 감정적 징벌로 처리하기가 쉬울 거야.

정치적 결의의 유효 범위,

즉 정치가 실질적으로 결의를 할 수 있는 한계를 정한 것은 바로 이런 데 이유가 있어.

민주주의는 국가의 모든 활동이 정치적 방법으로
행해질 것을 요구하지는 않아.

농구공은 손으로 해야지.
무슨 상관이람.
쳇!

예를 들어 대부분의 민주적 국가들에서 사법부는
정치 기구로부터 상당한 독립성을 유지하고 있잖아?

또 미국의 주립 대학은 아무 간섭 없이 자유롭게 주정부로부터
자금을 지원받을 수가 있게 되어 있어.

과거 독일의 중앙은행도 정치로부터 상당한
정도의 독립성을 유지할 수 있었지.

셋째, 현대 산업 국가에서 민주적 정부는 공적 활동의 영역에서 강력한 의무감과
단결력을 갖춘, 명망 있고 잘 훈련된 관료 서비스를
확보할 수 있어야 해.

이런 관료 서비스는
왜 필요한 걸까?

요게 감히~
하암~

이런 관료의 존재는 둘째 조건인 유효한 정치적 통제 범위를 넘어서는
문제에 대해 해답이 될 수 있을 거야.

너~ 아빠가 열심히 설명하는데 하품을 해?
빠직
이럴 땐 도망가는 게 해답이지!
이크!
팟!
정치적 통제 범위

관료가 일상적인 행정에서 능률적이며 충분한 능력을 보유하고 있어야 한다는 것만으로는 충분치 않아.
저… 관료가 되고 싶어서 왔는데요.
행정능력
자네! 행정 능력 갖고는 관료가 될 수 없다네!
자고로 관료는 말이지….
관료
이력서
심사

관료는 행정 각부의 장관이나 고위 관료들을 지도하기도 하고,
지도 능력을 갖추고….
정치
장관

필요한 경우 그들을 교육할 만큼 강력해야 해.
관료
고위 관료면 다야? 눈 떠!
으악

이것이 가능하려면 관료들이 자신의 원칙을 주장할 수 있는 위치에 있어야 하고
관료
내 나무야.
원칙

그 원칙을 주장하는 데 독립성을 가져야 해.
관료
집에 가져 가야지.
원칙
독립
뽁

관료는 구속받지 않는 하나의 권력이 되어야 해.
불끈
권력

그러기 위해선 앞에서 말했듯 관료의 능력이 뒷받침되어야 하겠지.
야호
콰아아앙
능력

또한 관료의 임명, 재직 기간, 승진 문제는 실질적으로 관료 자체의 집단적 견해에 의존해서 이루어져야 해.
능력이 중요해!
콰아아아…
아~ 그렇구나!
와-
굉장하다

따라서 정치인의 경우와 마찬가지로 관료들의 유능한 인적 자질의 문제가 중요해질 수밖에 없지.
인적 자질
인적 자질

슘페터는 신뢰받을 만한 적절한 능력과 상응하는 위신을 가진 사회 계급의 필요성을 주장하고 있어.
와~
능력
위신
화악
화악

지나치게 부유하지도 않고 지나치게 빈곤하지도 않으며,
내 신발 10년 신었다.
검소하신 분이다!
와
와

지나치게 배타적이지도 않고 지나치게 접근하기도 쉽지 않은 그런 사회 집단이 존재한다면 관료의 직분을 수행하는 데 요구되는 인적 소재와 전통적 관행 등이 가장 쉽게 확보될 수 있다고 보았지.
앙!
누워서 떡 먹기지~.
인적 소재. 전통적 관행

관료는 성급하게 만들어 내거나 돈으로 모집할 수 있는 것이 아니야.
관료모집
OO명
시급:100원
슥슥

관료는 한 나라가 어떤 정치 방식을 채택하는가에 관계없이 어디에서나 성장해 오던 것이야.
내가 바람 넣어 줄게.
악! 그… 그만 됐어요!
팍 팍 팍
관료

관료 팽창은 미래에도 분명한 것이라 할 수 있어.
헤~
빵빵
관료
으악

유럽의 관료들을 보면 이를 잘 알 수 있지.
와~ 유럽이다!
부우우웅
유럽

유럽의 관료는 중세 시대 귀족들을 보좌하던 것에서 출발하여 수세기를 통해 오늘날까지 성장한 장기간의 발전의 산물이라고 할 수 있어.
수고해 주세요.
네.
관료

한 나라에 그 존재가 인정되는 모든 집단이 성문법에 명시된 모든 법령에 승복하지 않는 한,

민주주의의 원활한 작용을 기대할 수 없다는 것은 모두가 동의하는 내용일 거야.

그러나 민주주의적 자제는 이것 이상을 암시하고 있어.

무엇보다 선거민과 국회의원들은 협잡꾼 등에 농락당하지 않을 정도의 지적 · 도덕적 수준을 갖추고 있어야 해.

하지만 다른 사람들의 요구나 국가 정세를 고려하지 않고 의안이 통과된다면 어떻게 될까?

그렇게 된다면 사람들은 민주주의를 불신하게 되고 민주주의에 대한 충성을 상실하게 될 거야.

슘페터는 입법적 개혁이나 행정 시책에 관한 개인의 제안을
빵 배급을 받기 위해 서 있는 사람들에 비유해.
개인은 배급소 앞에서 질서 정연하게 줄을
서 있는 것으로 만족해야지,
여기.
감사.

그 안으로 뛰어 들어가려 해서는
안 된다고 강조하지.
실례.
나부터.
파

의회에서 정치인들은 기회가 있을 때마다
효과적으로 정부를 전복시키거나
혼란시키려는 자신들의
충동을 억제해야 해.
정치인
으~
안 되는데~
손이
말을
안 들어.
위험

콰아

정부를 혼란시키는
상태에서 성공적인 정책은
기대할 수가 없을 거야.
으악 피해요!

즉 여당은 정부의 지휘를 받아야
하고,
정부
척!
여당

정부로 하여금 계획의 수립과
그 계획에 입각한 행동을 할 수 있도록
해야 하며,
정부
여당
계획

동시에 야당도 재야 내각(shadow
cabinet)의 지휘를 받아야 하지.
Hi
안녕~
재야
내각
여당
계획
야 당

그래서 그 재야 내각으로 하여금 일정한 원칙의 범위 내에서
정치적 투쟁을 계속할 수 있도록 해야 한다고
슘페터는 말했어.
장군!
탁
정부
여당
재야
내각
야당
정치적 투쟁

의회 밖의 투표자들은 그들 자신과 그들이 선출한 정치인들과의 사이에 분업을 준수할 필요가 있어.

투표자들이 이해해야 할 것은 그들이 일단 정치인을 선출한 이상 정치 활동은 선출된 사람의 직무라는 거야.

투표자들은 자신이 선출한 사람을 믿고 선출된 사람에게 정치를 맡겨야 해.

정치가 투표자들의 직무는 아니니까.

투표자가 선출된 사람에게 무엇을 해야 할 것인가를 지시하는 것은 삼가야 한다는 거야.

이 원칙은 고전적 민주주의 이론과 상반되고,

더 나아가 고전적 이론을 파괴하는 것이야.

고전적 민주주의 이론에 따르면 국민은 개개의 문제를 스스로 결정하고

그들의 대표자들에게 지시하는 게 매우 자연스러운 일이니까.

마지막으로 지도력을 얻기 위한 효과적인 경쟁은 다른 의견에 대한 관용을 매우 많이 필요로 해.

관용은 모든 지도자가 되려는 사람들이 혼란을 일으키지 않으면서 자신의 입장을 나타내기 위한 필수 조건이라 할 수 있어.

이것은 어떤 사람이 국민의 가장 중요한 이익이나 가장 소중한 이상을 공격하더라도 인내할 수 있어야 하고,

마찬가지로 이와 같은 견해를 가진 미래 지도자들도 자신을 억제할 수 있어야 한다는 것을 의미해.

민주적 정부는 한 나라의 중요한 이해 관계자들이 국가와 현 사회 구조에 일치된 충성을 보여 줄 때 작동할 수 있는 제도야.

반면에 현 사회 구조의 원칙에 대한 충성이 없어지고

국민들이 적대적인 두 개의 진영으로 분열된다면 민주주의는 작동하기가 어려울 거야.

그리고 사람들이 타협하기를 거부하는 이해와 이상이 생기자마자 민주주의는 작동을 멈추게 될 거야.

일반적으로 민주주의는 혼란한 시기에는 제대로 작동할 수가 없어.

전쟁이닷!
피융
쾅!
쾅!

때로는 경쟁적 지도력을 포기하고 독점적 지도력을 선택하는 것이 합리적인 경우도 있다는 것을 모든 형태의 민주주의는 인정하고 있지.

예컨대 미국의 대통령은 특정 상황에서는 로마의 독점적 지도력이었던 총독과 같은 권한을 획득하기도 하거든.

만약 지도력의 독점이 일정 기간에 국한되거나 또는 비상사태의 기간에 국한되는 것이라면,

그것은 민주주의의 원리가 일시 정지하는 것일 뿐이야.

단지 필요에 의한 일시적인 것이지.

하지만 반대로 그 독점적 권력이 사실상 시간적 제한을 받지 않는 것이라면 지도자의 권력은 무분별하게 사용되고 말 거야.

결국 민주주의 원리는 폐기되고 독재를 맞이하게 되겠지.

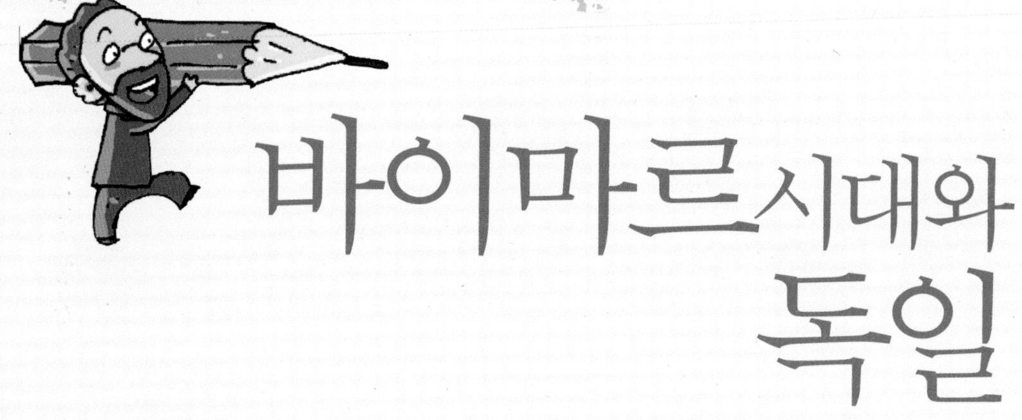

바이마르 시대와 독일

▲ 바이마르 공화국의 초대 대통령 에베르트의 흉상.

바이마르 공화국은 제1차 세계 대전 이후 1918년 독일의 혁명으로 성립된 민주 공화국으로 히틀러가 등장하기 전인 1933년까지 지속되었습니다.

제1차 세계 대전 말기인 1918년 11월 독일은 혁명에 의해 독일 제국이 붕괴하고 사회 민주당이 중심 세력이 되어 독일 최초로 민주적인 공화국이 설립되었습니다. 베를린의 혼란을 피해 바이마르에서 소집된 국민 의회는 폭력 혁명을 주장하는 극단적인 세력들을 제거하고 1919년 1월 총선거를 통하여 민주 공화파가 승리를 거두면서 에베르트가 대통령이 되고 샤이데만이 총리가 되는 사회 민주당, 민주당, 중앙당의 3당 연립 정부가 출범하게 되었습니다. 8월에는 바이마르 헌법이 공표되고 정식으로 바이마르 공화국이 출범했습니다.

바이마르 헌법은 국민 주권을 확인하고 국민의 기본권을 상세히 규정한 최초의 민주적 헌법이었습니다. 그러나 바이마르 공화국은 시민의 혁명에 의해서라기보다는 독일 군부의 지원으로 지탱되는 태생적인 한계를 가진 정부였습니다. 또한 베르사유 조약으로 독일이 지불해야 하는 과도한 배상금은 바이마르 정부를 더 취약하게 만들었지요. 국내적으로는 극우 세력들과 극좌 공산주의 세력들이 폭동을 일으키기도 하고, 독일이 배상금을 지급하지 않자 프랑스와 벨기에 부대가 독일의 루르 지역을 점령하는 사태가 발생하기도 했습니다.

그런데도 1923년에 슈트레제만이 독일의 재상 겸 외무장관으로 등장하면서 바이마르 공화국은 안정을 찾았습니다. 외국 자본을 들여와 생산 시설을 확충하면서 독일은 유럽의 중심 공업국으로 재등장할 수 있었습니다. 그리고 1924년 미국의 원조 계획인 도스안(Dawes Plan)이 성립됨으로써 배상금 문제가 일단락되기도 했지요. 1926년에는 국제 연맹에 가입하여 상임 이사국에 선출되기도 했습니다.

▲ 히틀러는 천재적인 대중 연설과 사람들이 바라는 것을 정확히 짚은 국수주의적 정책으로 독일을 장악했다.

그러나 1929년 미국의 경제 공황이 독일을 비롯한 전 유럽에도 파급됨에 따라 독일 내 실업자 수는 급증하고 독일의 재정은 적자로 바뀌었습니다. 결국 사회 민주당 내각인 뮐러 내각이 1930년 3월 무너지게 되었고, 이어 의회의 지지를 기반으로 하지 않은 군부 · 보수파 내각이 들어서면서 독재적인 정치를 시행하게 되었습니다.

1932년 6월 선거에서 히틀러의 국가 사회당이 33퍼센트가 넘는 지지를 받으면서 약진하고 경제 공황이 더 심해지자 국민의 불만은 커져 갔습니다. 이에 군부, 관료, 자본가, 중산층 등이 우파 나치를 중심으로 단결해 갔고 1933년 1월 결국 히틀러를 총리로 임명하면서 나치 정권이 성립하게 되었습니다. 히틀러는 2월 의회 방화 사건을 구실로 힌덴부르크 대통령으로부터 비상대권을 물려받게 되고 결국 바이마르 공화국은 사라지게 되었습니다.

제10장
사회 민주주의는 잘 작동할까?
사
회
민
주
주
의
ON

슘페터는 자본주의 이후의 대안으로 사회주의를 생각하고 있었고,
자본주의의 후계자를….
소개합니다.
하이
자본주의
사회주의

성숙한 자본주의 사회에서 사회주의는 성공적으로 작동할 수 있을 것이라고 보았어.
와 빠르당
피-융
성숙한 자본주의

자본주의 이후의 사회주의는 민주주의와 어떤 관계를 가질 수 있을까?
자본주의
사회주의
민주주의

이 관계를 잘 알기 위해서는 먼저 민주주의와 자본주의의 관계를 살펴보는 것이 필요해.
사회주의
민주주의

우선 민주주의는 인간이 합리적으로 행동한다는 개념에 기초하고 있어.
합
인간
리

이 사실은 민주주의 이데올로기가 자본주의적인 기원을 가지고 있다는 것을 의미하지.
엄마.
아유 내 새끼들~
엄마.
민주 주의
자본 주의

슘페터는 역사적으로도 현대 민주주의는 자본주의와 더불어 출현한 것이고,
민주 주의
자본 주의

자본주의와는 인과적 관계를 갖는다고 보았어.
부릉 부릉
와

앞에서 보았듯이, 자본주의는 합리주의에 기반을 둔 근대 사회를 열었을 뿐 아니라,
근대
합리주의

봉건 질서를 무너뜨린 강한 새로운 계급을 탄생시켰어.
펑
자본가
펑

자본주의 이전에는 자본가들이 사회의 지배 계급이 될 수 없었으니까.
뭔가 2% 부족해.
자본가
자본주의 이전

부자는 부자일 뿐이지 사회의 지배 계급은 아니었지.
난 돈은 많은데 지배 계급이 될 수 없을 뿐이고… 되고 싶어도 안 될 뿐이고….
자본가

부자들은 언제나 왕이나 영주, 귀족 등의 지시를 받는 사람들이었어.
나 밥 사먹게 돈 좀 줘 봐.
옛.
자본가

그러나 자본주의 사회에서는 재능과 야심이 있는 사람들이 기업을 만들고,
내 회사야!
기업
짜잔~
자본가
자본주의 사회

사회 최고의 인재들을 모아서 다양한 분야에서 성공함으로써 사회의 지배 계급으로 등장하게 되었지.
전진!
신대륙이다.
자본가
인재
인재
인재
인재
대기업
지배계급

그리고 자본주의 문명이 평화적이므로 사회 지도력을 획득하기 위한 경쟁에서 전쟁에 의존하기보다는 민주주의적 방식을 추구하게 되었어.
빵
빵
빵
빵
민주주의
민주주의
민주주의
민주주의
와~

이런 자본주의 사회의 지배 계급으로 등장한 중산 자본가들은 '지도력을 장악하기 위한 경쟁적인 민주주의'를 통해 정치 제도의 변화를 이루었고,
변화가 필요해~.
히-
정치
민주주의
탁탁

자신들이 원하는 대로 사회적 · 정치적 구조를 합리화했어.
어때 멋지지~
자! 거울
정치

민주적 방법이란, 자본가들에 의해 사회가 재구성되는 정치적 도구일 따름이야.
탁!
그렇구나.
헝

결국 현대 민주주의는 이런 자본주의 과정의 산물이라고 볼 수 있지.
민주주의
찰칵!
와
와
와아

자본주의 사회는 자신이 노력한 만큼 돈을 버는 것이기 때문이지.

더구나 자본주의 사회는 자유 무역을 선호하여 평화적 민주주의의 과정을 이끌어 왔어.

전성기의 자본주의는 민주주의가 성공적으로 작동하는 데 충분한 자격을 갖추었다고 슘페터는 보았어.
민주주의
성공적 자본 주의

당시 민주주의는 국가에 의존해서 살아가려는 계급에겐 좋지 않은 체제였어.
입산 금지!
내가 누군 줄 알아!
공무원
쳇! 알게 뭐야.
민주주의 국가

당시 민주주의는 국가가 개입하지 않고 자율성을 보장하여
함 올라가 볼까나~
!
자본가
민주주의 국가

혼자 내버려 둠으로써 자신들의 이익에 도움이 되는 계급,
어서 옵쇼~
자본가
민주주의 국가

즉 자본가들에게 유리한 체제였거든.
야호~
민주주의 국가

주로 개인적인 관심에 몰두하는 자본가들은 일반적으로 정치적 의견 차이에 훨씬 더 관용적이었고
내 말이 맞아!
음….
아냐! 내 말이 맞다니까!
정치가
자본가
정치가

자신이 공감하지 않는 의견도 존중할 수 있었던 거야.
아 글쎄 재가….
아 그게 아니구 재가….
자본가
정치가
정치가

이렇게 정치적으로 중립을 지키고
자본가
中

동시에 정치 계층에 파고들어 자본가들은 정치 지도력을 획득할 수 있었어.
자본가
정치 계층
정치 지도력

그러나 자본가 계급은 정치적으로 성공한 개인들은 배출할 수 있었지만
안싸 쾌변
안뇽

성공적인 정치 계층을 만들어 내지는 못했어.
엄마~ 응가가 안 나와….

그 이유는 우리가 앞에서 잘 살펴보았듯이,
오-
자본주의, 사회주의, 민주주의

자본주의적 기업은 스스로의 성공에 의해 거대 기업이 되고,
오~
오~
거대 기업

이런 거대 기업하에서는 기업의 경영이 관료화될 수밖에 없었거든.
으~히
거대기업
관료화

이런 상태에서 기업가의 개인적 성격과 의지력은 점차 중요해지지 않게 되고,
우리 회사를 살리려면 이대론 안 됩니다.
내 회사니까 내가 알아서 해! 자네가 뭘 알아!
나가!
사장

그에 따라 기업가들의 사회적 기능도 점차 약화되겠지.
쩌저적!!
헉
으악

슘페터는 이런 기업가들의 약화가 결국엔 자본가 계급 전체를 약화시키게 만든다고 했어.
으악
쿵!!
자본가 계급

이것은 자본가 계급을 보호하고 있던 귀족이나 상인 같은 사회 계층의 점진적 소멸로 연결돼.
자본계급의 약화
툭!
쿵!
자본가 계급
귀족
상인
으아아~
헉!

마지막으로 자본주의가 소멸되려면 자본주의적 질서에 대한 적대감이 증대하지 않을 수 없는데,
헉
자본주의
크앙

슘페터는 지식인들의 역할을 주목하고 있어.
어떻게 할까나~
살려 주세요!
어떻게 하지?
음..
음...
자본주의
지식인
털썩

자본주의 사회는 재능 있는 일반 시민은 누구든지 교육을 받을 수 있는 제도의 혁명을 가져오게 되었는데,
교육
와
와
와-아

지식인들을 필요로 하는 직업들의 경쟁이 너무 심해져 버렸지.
경쟁 심화
으악
으악

이런 지식인들 중 상당수는 자신이 원하지 않는 일을 할 수밖에 없었어.
난 작곡가가 되고 싶었다구….
에휴

이런 사람들이 자본주의 질서에 적대감을 가지는 세력으로 등장하게 되면서
턱!
자본주의
적대 세력

자본주의 질서를 무너뜨리는 결정적인 역할을 하게 된다고 보았던 거야.
펑!
촤악
지식인
적대 세력

이런 상태에서 정치는 거의 압력 집단 사이의 투쟁으로 변화되고 말지.

자본가와 노동자, 지주와 소작인들은 각자가 이익만을 추구하게 되고,

또 많은 경우에는 민주적 방법을 왜곡시키면서까지 서로의 이해를 주장하게 되는 경우도 있을 거야.

자본가 계급들은 자신들의 정치 계급을 형성할 모든 기회를 가지고 있었음에도 불구하고

결국은 자본가적 정치 계층을 만드는 것에는 실패하게 되지.

사회 구조의 기본적인 문제에 관해

국민 사이에 큰 분열이 생기게 되면

민주적 방법은 결코 최선이라고 할 수 없게 되어 버려.

결국 자본주의와 민주주의 간의 마찰이 민주주의에 대한 비관적인 예측을 하게 만든다고 슘페터는 말하고 있어.

그러면 자본주의 이후 사회주의는 민주주의와 양립할 수 있을까?

슘페터는 고전적 사회주의 사상은 자본주의 사상의 자손이라고 보고 있어.

사회주의 역시 자본주의의 합리성과 실용성을 공유하고 있다고 보았던 거야.

이 점이 본질적으로 중요해.

사회주의 방식은 지도력의 역할이 정치뿐 아니라 모든 경제 영역까지 확대되는 것을 의미해.

반면에, 민주주의는 주도적인 지도력의 역할이 정치 영역에 한정되는 것을 의미하지.

따라서 사회주의적 방식에 따르면

정치적 영역에 국한되던 민주적 방법이

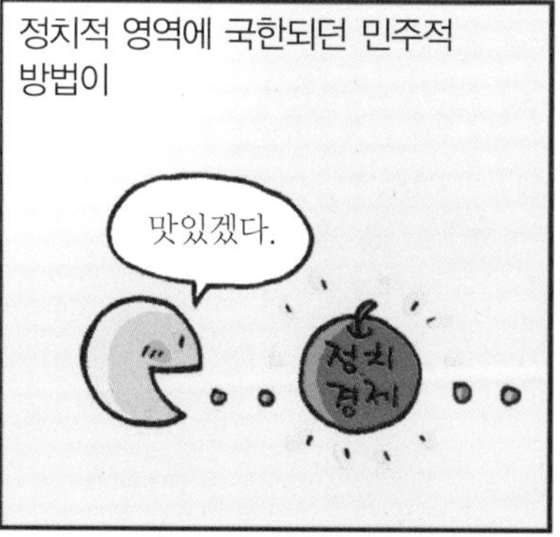

모든 경제적 영역으로 확대되는 혁명적인 결과를 가져오게 되어 있어.

그러면 자본주의 이후 사회주의와 민주주의는 어떻게 연결될 수 있을까?
자본주의
사회주의 민주주의
슘페터는 성숙한 사회에서 사회주의는 민주주의와 아주 잘 양립될 수 있다고 보았어.
자본주의
성숙한 사회
사회주의 민주주의
착!

성숙한 사회에서는 사회 지도 그룹들이 합리적인 방법을 사용하게 되어 있고
자! 써 봅시다.
합리적 방법
와
성숙한 사회

또한 유능한 공공 기업 관료 조직의 지원을 받기 때문에 사회 혁명을 피할 수 있다고 했지.
사회 혁명
췟!
공공 기업
저쪽으로 가시오.
삐익
땡큐

관료 조직들은 근본적으로 반자본주의적이지 않고 지도부의 명령에 복종하는 훈련된 집단들이야.
여봐라~ 행하여라
분부 받들겠사옵니다
전하!!

그러므로 성숙한 상태의 사회주의는 자본주의의 제도적 · 경제적 가치가 손상되지 않으면서 안전하게 그리고 서서히 이행될 수 있을 거라고 슘페터는 생각했어.
따르릉 따르릉 비켜 나세요~.
아빠 좀 빨리 가요
하암
끼룩 끼룩
사회주의

오늘날 민주적 절차의 형태와 기관은 자본주의 세계의 구조적 결과라고 할 수 있어.

그러나 슘페터는 이런 자본주의적 제도들은 자본주의와 함께 사라지기보다는 사회주의 사회에 상속되어 활용될 거라고 했지.

국회의원 선거, 정당, 의회, 각료 그리고 수상은 사회주의 질서가 정치적 결정을 위해 확보할 수 있는 가장 간편한 도구가 될 거야.

이런 기관들이 결정해야 할 문제는 투자는 얼마나 해야 하고

사회에서 생산된 것들을 어떻게 분배해야 할지에 대한 규칙들을 개정하는 일이 될 거야.

그 외 효율성, 투자량, 조사 등에 관한 정부 기관들은 계속해서 자신들의 기능을 완수하게 될 거야.

물론 내각에 있는 정치인들은 법률을 제정하거나 주요 공무원들을 임명하는 일에 분명히 자신들의 영향력을 행사하게 되겠지.

그러나 정치인들의 영향력이 효율성을 무시하면서 행사될 수는 없어.

새롭게 권력을 잡은 세력들은 최우선으로 혁명에 반항하는 세력을 진압해야 할 거야.

또한 새로운 중앙 당국은 과거의 질서를 지키려는 무리와 새로운 반대자들을 진압하기 위한 군대가 필요하게 되지.

군대에 의한 사회 질서는 평화로운 민주주의와는 다른 난폭한 사회화를 가져오잖아.

이런 상태의 사회주의는 국민 경제의 전 영역에 대한 간섭을 초래하고,

이것이 결국 전체 경제를 마비시킬 수도 있을 거야.

이렇게 되면 주도적 위치에 있는 사람들은 사회주의 조직에 내재된 전 영역에 대한 지배력을 행사하려는 유혹을 느끼게 되고

이것은 바로 국민에 대한 독재를 불러오겠지.

그러나 슘페터는 어느 경우에도 사회 민주주의는 개인의 자유를 제한하는 것을 의미한다고 보았어.

따라서 사회 민주주의는 고전적 민주주의 이론처럼

신과 같이 떠받들어질 수는 없는 이론이라고 했지.

마침내 《자본주의, 사회주의, 민주주의》를 알아 보는 여행이 끝났어.

슘페터가 자신의 생각을 정리하여 《자본주의, 사회주의, 민주주의》를 쓴 것은 18세기의 일이야.
슥슥

그러면 슘페터의 예측이 오늘날 얼마나 들어맞았는지 한번 살펴볼까?
21세기
짜~잔~
와

우선 슘페터가 현대 자본주의 역동성의 원천이 뭐라고 했지?
창조적 파괴

그래! 슘페터는 기업가들의 끊임없는 경쟁, 혁신적 경영 방법
와
와아
기업가

그리고 지속적인 기술 혁신 등이 모든 사회 발전의 원동력이라고 주장했어.
창조적 파괴
경쟁
기술 혁신

오늘날 많은 사람들이 경쟁력, 혁신 등에 대해 이야기하고 있잖아요!

자본주의의 원동력을 혁신이라고 본 슘페터의 혜안은 21세기인 오늘날에도 여전히 유효해.
와

맞아~
으이구~ 기특한 것~
헤~

이런 슘페터에 대해 많은 경제학자들은 케인스가 아닌 슘페터야말로 세계화 경제 시대의 진정한 길잡이라는 칭송을 아끼지 않고 있어.

동시대에 살면서 가장 큰 영광을 누리고 살았던 케인스를 능가하는 평가를,

슘페터는 21세기 초 세계화 시대에 누리고 있다고 할 수 있지.

반면에 슘페터의 자본주의 붕괴의 예측은 어때?

슘페터의 자본주의 붕괴론과 사회주의의 등장은 제2차 세계 대전 이후 유럽 사회에서 나타난 현상이었어.

경제에 대한 중앙 정부의 개입이 늘어나고 사적 부분보다 공적 부분의 비중이 늘어난 것도 사실이었거든.

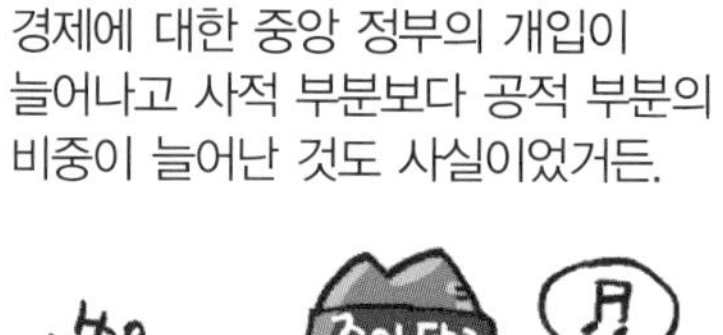

서유럽 국가들은 완전한 자유 경쟁보다는 사회주의 시장 경제를 지향했어.

이런 유럽식 사회 민주주의는 제2차 세계 대전 이후 거의 30년 동안 유럽 사회를 주도하는 이념이 되었어.

왜냐하면 관료화된 거대 기업 아래서도 기업들의 혁신은 지속적으로 일어났거든.

GE, 삼성 같은 이런 혁신적인 거대 기업들이 세상의 자본주의화를 막고 있다고 볼 수는 없을 거야.

또한 지식인들이 비판적으로 돌아서면서 자본주의가 붕괴하는 데 중요한 역할을 한다는 주장도 현실과는 맞지 않다고 볼 수 있어.

물론 자본주의에 반대하는 지식인도 많지만

더 많은 지식인들이 자본주의가 주는 기회에 편승하려고 하는 게 사실이거든.

특히 1989년 냉전이 붕괴되고 급속한 세계화가 진행되면서 자본주의는 점점 더 급속하게 세계에 퍼져 가고 있어.

과거, 자본주의에 어느 정도 문을 닫고 있던 중동 국가들조차도 세계화의 흐름에서 뒤지지 않으려 힘쓰고, 두바이 같은 곳은 세계화를 주도해 나가고 있잖아.

여러분들도 두 눈을 부릅뜨고, 이 세계가 어디로 흘러갈지 지켜보길 바라. 그 세계가 바로 여러분이 살아가야 할 세상이 될 테니까.

슘페터의 예측대로, 세계화된 자본주의가 심한 빈부 격차, 환경 등의 여러 가지 문제를 해결하지 못하고
지식인들이 저항하면서 결국 세계는 사회주의로 향하게 될까?
부양
자본주의
사회주의
민주주의
중앙

마르크스
고용·이자 및 화폐에 관한 일반 이론
-케인스-
사회주의
자본주의 사회주의 민주주의
-슘페터-
카를 멩거

세계화의 기회와 문제들

▲ 베를린 장벽 붕괴

1989년 소련이 해체된 후 소련을 이어받은 러시아와 동유럽의 국가들이 자유주의 시장 경제 체제에 편입되면서 쿠바, 북한 등의 극소수 폐쇄 국가들을 제외하고 국가 간에 존재했던 이념의 벽은 무너지게 되었습니다. 또한 정보 통신의 급속한 발전은 국가 간의 교류를 확대하고 이런 정보의 흐름은 각 지역과 국가들을 통합하여 하나의 세계로 만들었지요. 정보 통신의 혁명은 지식 정보가 단순히 상호 교류를 확대할 뿐 아니라 그 자체가 부의 원천이 되고 있습니다. 육체 노동, 화폐 자본 등에 의존하던 산업 문명과 달리 인간의 정보와 지식 등이 부의 원천으로 등장하게 된 것입니다.

정보 통신의 발달과 함께 진행된 세계 무역 기구(WTO) 체제의 출범은 세계를 하나의 시장으로 통합하고 있습니다. 상품 및 서비스 교역이 확대되고, 투자, 생산 등의 경제 활동이 국경을 넘어 이루어지는 과정에 생존을 위한 국가 간의 경쟁 또한 더욱 심화되었습니다. 다시 말해 경제 주체들 간의 경쟁이 전 지구적으로 이루어지고 있는 것입니다. 동시에 경제 활동에서 상호 간에 의존성이 더욱 증대되었습니다. 지구촌 경제 시대에 어느 한 국가의 일방적인 이익 추구는 용납되기 어려워졌고 상호 공존과 공영이 불가피하게 되었습니다. 경쟁과 협력이 동시에 요구되는 시대가 온 것입니다.

세계 경제의 상호 의존이 확대된 가운데 세계 정치 역시 다극으로 가고 있습니다. 국가들뿐 아니라 국제기구나 민간 시민 단체 등의 활동과 역할이 증대되고 있습니다. 이런 민간 기구의 역할 증대는 동시에 전통적인 국가의 역할에 축소를 가져왔습니다. 공공 부문의 비중은 점차 줄어들고 공공 부문의 자율성이 증가됨으로써 민영화, 분권화 같은 현상이 발생하게 되었습니다.

오늘날의 세계는 과거 국경이나 이념에 의해 나누어져 있던 모습에서 하나의 지구촌으로 통합되어 가면서 과거에 없었던 전 지구적 차원의 새로운 문제들을 일으키고 있습니다.

WORLD TRADE ORGANIZATION

▲ WTO 세계무역기구 로고

우선 산업화가 전 지구적으로 확대되고 고도화되면서 생겨난 지구 환경의 위기는 현대 문명의 생존 자체를 위협하고 있습니다. 지구 온난화, 오존층 파괴, 생태계 파괴 그리고 지속적인 성장이 가져온 자원의 고갈 등은 한 국가가 해결할 수 없는 문제들로 인류 공동의 관심과 노력이 요구되는 문제들입니다.

한편으로 세계화는 국가 간, 계층 간의 불평등을 더 심화시킨다는 주장도 있습니다. 세계화가 심화될수록 부는 소수 국가와 계층에 편중되는 현상이 나타나고 있기 때문입니다. 세계 인구의 1퍼센트 정도가 전 세계 재산의 40퍼센트를 소유하고 있으며 부유한 상위 10퍼센트가 전체 자산 가치의 85퍼센트를 차지합니다. 세계 60억 인구 중 26억 명은 하루에 2달러 미만의 돈으로 살아가며, 아기와 엄마에게 먹일 양식과 치료할 약이 없어서 전 세계적으로 매 시간 1,250명의 아기들이 죽어 갑니다. 지속 불가능한 세계화가 진행된다는 주장이 나오는 것도 다 이런 이유 때문이랍니다.

슘페터 자본주의 사회주의 민주주의

손기화 글 | 김강섭 그림

01 《자본주의 사회주의 민주주의》를 쓴 사람은 누구일까요?

① 홈즈 ② 홉스 ③ 슘페터
④ 마르크스 ⑤ 엥겔스

02 슘페터는 주로 무엇을 연구했을까요?

① 철학 ② 정치 ③ 경제 ④ 법 ⑤ 과학

03 다음과 같은 생각을 한 학자는 누구일까요?

인간이 생활하는 데 필수적인 경제적 환경이 정치, 법률, 종교, 문화 등을 결정한다.

① 슘페터 ② 케인스 ③ 파인먼
④ 마르크스 ⑤ 드러커

04 슘페터는 자본주의의 미래는 누가 결정한다고 보았을까요?

① 시장의 상인 ② 물건을 구입하는 고객
③ 정치가 ④ 기업가
⑤ 종교 지도자

05 슘페터는 자본주의가 망하고 사회주의 시대가 올 것이라고 했는데, 자본주의가 망하는 결정적인 원인을 무엇이라고 보았을까요?

① 자본주의의 눈부신 발전 ② 자본주의의 부패
③ 정치권력의 독재 ④ 지식인들의 타락
⑤ 자연 환경의 파괴

06 사회주의 경제 아래에서 제품을 생산하기 위해 공장을 짓고, 사람을 고용하고, 생산량을 결정하는 주체는 누구일까요?

① 중앙 당국(정부) ② 기업가 ③ 소비자
④ 시장 상인 ⑤ 정치가

07 슘페터는 자본주의 질서의 가장 핵심적인 제도로 '계약 자유'와 '○○○○'을 들었습니다. 특정한 개인이 자신의 재산을 가지는 것을 보장하는 '○○○○'은 무엇일까요?

____

____

05 ① : 슘페터는 지나친 자본주의의 발달이 오히려 자본주의에 독이 되어 몰락하고 대신 사회주의가 발달할 것이라 예견했습니다. / 06 ① / 07 사유재산

08 볼셰비키 혁명 : 1917년에 일어난 러시아의 혁명으로 사회민주노동당 볼셰비키 파(볼셰비키 당)가 권력을 장악하고 소비에트 정권을 출범시켰습니다.

09 창조적 파괴 : '창조적 파괴(creative destruction)'란 경제학자 슘페터가 기술의 발달에 경제가 얼마나 잘 적응해 나가는지를 설명하기 위해 제시했던 개념입니다. 슘페터는 자본주의의 역동성을 가져오는 가장 큰 요인으로 창조적 혁신을 주창했으며, 특히 경제 발전 과정에서 기업가의 창조적 파괴 행위를 강조했습니다.

10 정치적인 지도력의 획득 : 슘페터는 새로운 민주주의를 내세웠습니다. 흔히 '슘페터 민주주의'라고 하는데, 이것은 민주주의를 '정치적 지도력을 장악하기 위한 자유경쟁'이라고 했습니다. 즉 슘페터가 보기에 민주주의란 정치인이나 시민들이 정치적 지도력(또는 권력)을 잡기 위해 자유경쟁을 하는 것이었습니다.

08 다음 보기의 설명에 해당하는 역사적 사건은 무엇일까요?

- 1917년 11월 7일 러시아에서 일어난 사회주의 혁명이다.
- 농민과 노동자들 그리고 소수의 지식인들이 연합하여 일으킨 혁명이다.
- 황실, 대지주 그리고 교회의 재산을 빼앗아 대중에게 나누어 주었다.

09 슘페터는 자본주의를 발전시키는 새로운 생산방법, 새로운 기술, 새로운 수송 방법의 도입, 새로운 시장의 개척 등과 같은 활동을 무엇이라고 불렀나요?

정답

01 ③ / 02 ③ : 슘페터는 1948년에는 미국경제학회의 회장에 선출되었고, 새로이 구성된 국제경제학회의 초대회장을 맡는 등 경제학의 발전에 크게 기여했습니다.

03 ④ : 마르크스는 경제적 토대의 모순이 계급투쟁이란 형태를 취함으로써 사회변동이 일어난다고 보았습니다. 마르크스는 자본가 계급이 노동자 계급을 착취하게 되고, 이런 계급 간의 투쟁이 결국은 사회를 변혁시키는 원동력이 된다고 보았습니다. 반면 슘페터는 마르크스의 생각을 비판하면서 사회 변동의 원동력을 기업가의 혁신에서 찾았습니다. 그는 혁신적 기업가가 창조적 파괴를 일으키게 되고, 이것이 자본주의 사회의 풍요로움을 가져오는 원동력이라고 생각했습니다.

04 ④ : 슘페터는 기업가들의 끊임없는 경쟁, 혁신적 경영 방법 그리고 지속적인 기술혁신 등이 모든 사회 발전의 원동력이라고 주장했습니다.

10 슘페터는 일반적으로 우리가 알고 있는 민주주의를 고전적인 민주주의라고 비판하면서 자신이 생각하는 민주주의를 주장했습니다. 그 민주주의를 학자들은 '슘페터 민주주의'라고 합니다. 그러면 슘페터 민주주의의 핵심은 무엇일까요?

____

____

____

____

____